Illustrations intérieures et de couverture :
Laura Cavallini
Conception graphique et réalisation : Lorette Mayon

L'édition originale de cet ouvrage a paru en langue anglaise
chez HarperCollins Children's Books,
a division of HarperCollins Publishers, sous le titre :
Liesl & Po

Hachette Livre, 43 quai de Grenelle, 75015 Paris.

LAUREN OLIVER

Lily et Po

♡3♡

FIN DU VOYAGE ET RETROUVAILLES

Traduit de l'anglais (États-Unis)
par Alice Delarbre

hachette

UN

Ça avait été une année très difficile pour Mme Morteau, propriétaire de l'auberge du même nom, située rue Tordue à Gains. Gains était la dernière ville habitée à soixante-quinze kilomètres à la ronde. À sa sortie, la route sinueuse montait jusqu'aux montagnes rouges, les traversait puis redescendait. Tout autour, des champs s'étendaient à perte de vue. De rares fermes étaient disséminées dans ce paysage.

Pour toutes ces raisons, la clientèle ne s'était jamais bousculée : il n'y avait tout simplement pas assez de passage sur cette route. On ne pouvait compter que sur les rares trappeurs se dirigeant vers le nord ou sur les ouvriers agricoles à la

recherche de travail. Quoi qu'il en soit, tous les voyageurs qui traversaient Gains s'arrêtaient à l'auberge de Morteau ; ils n'avaient en effet pas d'autre option. Voilà pourquoi Mme Morteau était contrainte d'allonger ses ragoûts avec de l'eau, de servir à ses clients des bouts de pieds et de cervelle au lieu des morceaux plus nobles annoncés sur la carte. Voilà pourquoi elle ne changeait presque jamais les draps et sous-payait son employé, un petit gars maussade qui avait perdu un œil dans un accident de mine. Ainsi réussissait-elle, même difficilement, à joindre les deux bouts.

Mais l'année écoulée avait été particulièrement difficile.

Ce qui expliquait qu'elle ait accepté comme client l'homme à la chevelure de jais qui s'était présenté plus tôt dans la journée, réclamant le gîte et le couvert, alors même qu'elle ne se faisait aucune illusion sur lui : il était aussi tordu que la rue dans laquelle se trouvait l'auberge. Un brigand, sans aucun doute, et peut-être même un meurtrier. Seulement, il lui avait offert deux pièces d'argent massif – deux pièces sales, proba-

blement volées –, et elle n'avait pas eu le cœur de refuser.

À présent, elle l'observait à la dérobée alors qu'il engloutissait son troisième bol de soupe à la pomme de terre et que des filets blanchâtres coulaient dans sa longue barbe dégoûtante. Elle soupira devant ce spectacle répugnant. Autrefois – il y avait fort longtemps, à l'époque où le soleil brillait encore –, lorsque les fermes prospéraient, elle accueillait à sa table de bons travailleurs honnêtes, des laboureurs, des moissonneurs et des ramasseurs de pommes. Ils buvaient de bon cœur son mauvais vin, même s'ils le payaient un prix excessif, s'esclaffaient sans retenue et veillaient tard pour chanter ou échanger des histoires autour du feu.

Elle fut tirée de ses pensées par un petit coup discret mais insistant, frappé à la porte. L'espace d'un instant, elle se prit à imaginer que derrière attendait un groupe d'hommes rougeauds et souriants, prêts à s'exclamer : « Bien le bonjour ! », avant de remplir l'auberge de leur brouhaha joyeux.

Elle fut donc grandement déçue en découvrant une petite fille grelottante et un garçon maigrelet pourvu d'immenses oreilles rose vif. Il s'était mis à pleuvoir et les deux enfants étaient trempés comme des soupes. Le garçon prit la parole – Mme Morteau comprit aussitôt qu'il voulait impressionner la fillette.

— Excusez-moi, madame, nous espérions trouver une chambre pour la nuit.

— Nous venons de très loin, ajouta la petite d'une voix douce. Et nous sommes très fatigués.

Mme Morteau le lisait sur leurs visages. Les paupières de la fillette ne cessaient de papillotter, luttant contre le sommeil.

— Les chambres coûtent un dollar et vingt pence la nuit, annonça-t-elle.

Les enfants échangèrent un regard.

— Nous… nous n'avons pas d'argent, dit-il d'une voix faiblissante.

— Dans ce cas, je n'ai pas de chambre, répondit Mme Morteau en poussant le battant de la porte.

— S'il vous plaît ! s'écria la fillette. S'il vous

plaît… Nous pouvons travailler. Faire la vaisselle ou passer le balai.

Mme Morteau les examina plus attentivement. La petite portait une veste qui, bien qu'usée jusqu'à la corde par endroits, avait dû coûter cher autrefois, et elle avait une grande boîte en bois poli. Dehors, le ciel était gris et menaçant. Les rues, très calmes.

— Comment êtes-vous arrivés jusqu'ici ? s'enquit-elle avec méfiance. Et d'où venez-vous ?

Ils échangèrent un nouveau regard. Mme Morteau eut l'impression confuse – elle n'aurait rien pu affirmer – qu'ils avaient tous deux marqué une pause le temps d'écouter le vent.

Et, en effet, Will et Lily attendirent pour répondre que Po ait fini de dire :

— Je ne vois aucune raison de lui mentir.

— Nous arrivons de Trèfleville, expliqua le garçon. Nous sommes venus en… carriole.

— Vous devez donc avoir de l'argent. Les trajets en carriole ne sont pas gratuits.

— Nous… nous avons tout dépensé, bredouilla-t-il.

Il semblait aux abois. Inclinant la tête en direction du coffret dans les mains de la fille, l'aubergiste reprit :

— Et qu'est-ce donc que ça, hein ? Vous n'allez pas me faire croire que vous trimballez avec vous une boîte à bijoux vide. Qu'est-ce que vous cachez là ?

Derrière elle retentit un son métallique : l'homme à la chevelure de jais avait laissé tomber sa cuillère.

Serrant le coffret contre sa poitrine, Lily répliqua :

— Rien ! Il n'y a rien du tout à l'intérieur.

— Je ne peux pas vous aider si vous n'êtes pas honnêtes avec moi, dit Mme Morteau en voulant, à nouveau, refermer la porte.

— S'il vous plaît ! l'implora Will, glissant le pied dans l'entrebâillement.

Il était éreinté et glacé ; il avait les vêtements trempés ; le long trajet inconfortable en carriole l'avait laissé avec des jambes en coton.

— On ne restera qu'une nuit, insista-t-il. Dès demain matin, on prendra la direction de l'ouest

et on franchira les montagnes.

— Vous connaissez peut-être l'endroit où nous allons, s'enthousiasma Lily. La Maison Rouge.

L'entrebâillement de la porte, à peine plus large que le pied de Will, s'écarta légèrement. Le regard de Mme Morteau avait changé du tout au tout.

— La Maison Rouge, hein ? répéta-t-elle en étudiant Will et Lily. Attendez ici.

Elle disparut dans l'auberge. Avant que la porte ne lui claque au nez, Lily eut le temps d'entrapercevoir un vilain homme à la chevelure de jais, qui la fixait.

Ils patientèrent.

— Qu'est-ce qui lui prend aussi longtemps ? demanda Po en voletant d'impatience.

Ni Lily ni Will n'eurent l'énergie de lui répondre.

Mme Morteau finit par revenir. Elle apportait deux pommes de terre fumantes enveloppées dans un torchon.

— Tenez, dit-elle.

Les yeux de Will s'embuèrent de larmes de gratitude ; il les chassa d'un rapide battement de paupières pour que Lily ne les voie pas.

— Je ne peux pas vous donner de chambre, si vous n'avez pas de quoi payer. En revanche, vous serez au chaud et au sec dans la grange à l'arrière. Vous pouvez passer la nuit là-bas.

— Merci, répondit Lily avec sincérité.

L'odeur de la pomme de terre fit grogner son estomac. Mme Morteau les examinait à travers ses paupières plissées.

— Hmmm. La route jusqu'à la Maison Rouge est longue. Vous connaissez le chemin ?

— Je... je crois que je le reconnaîtrai, répondit Lily.

Will décela un manque d'assurance dans sa voix.

— Au sommet des contreforts, vous tomberez sur une maison verte. Le manoir Épinette. Arrêtez-vous là et dites à Mme Épinette que vous venez de ma part. Elle vous donnera à boire et à manger, puis elle vous indiquera la bonne direction.

Lily aurait volontiers serré Mme Morteau dans ses bras, si la femme n'avait pas eu l'air du genre à réprouver les effusions de sentiments. Elle se contenta donc de répéter :

— Merci.

— Hmmm, fit l'aubergiste en levant le menton vers la grange. Allez vous mettre à l'abri maintenant. Il est tard, vous devriez déjà dormir.

Sur ces mots, elle referma la porte. Cette fois, Lily et Will entendirent le verrou coulisser.

L'homme à la chevelure de jais n'était plus dans la salle à manger lorsque Mme Morteau y retourna. Il avait laissé son bol posé au milieu d'une petite mare de soupe. Elle secoua la tête : il n'avait vraiment aucune manière. Eh bien, au moins, il était monté se coucher. Sa présence lui procurait des démangeaisons, comme si chaque fois qu'il posait les yeux sur elle il calculait combien il pourrait retirer de la vente de ses intestins ou de son corps débité en petits morceaux.

Mme Morteau gagna la cuisine, où son apprenti borgne, accroupi dans un coin, jouait avec une balle de ficelle, tel un chat.

— Toi ! l'apostropha-t-elle.

Il se releva aussitôt, clignant de son œil valide. Ne s'étant jamais habituée à ce handicap, elle fixait toujours le bout du nez du garçon, quand elle lui parlait.

— Prends Benny (une mule aussi décharnée que têtue), et file sans tarder au manoir Épinette.

— Oui, m'dame.

Elle sortit de la poche de son tablier une carte de visite imprimée sur un beau papier crème. Une femme vêtue d'un long manteau de fourrure la lui avait remise, le matin même. Le rectangle de papier embaumait le parfum de qualité. Mme Morteau vérifia le nom dessus.

— Tu vas aller trouver la comtesse Prima Donna et l'informer que nous avons repéré les enfants fugitifs. Ils sont en route vers la Maison Rouge. Répète ce que je viens de dire.

Il s'exécuta docilement :

— Ils sont en route vers la Maison Rouge.

L'aubergiste acquiesça.

— Ils devraient atteindre Épinette d'ici demain soir. Dis à la comtesse de se tenir prête.

— Oui, m'dame.

Le garçon enfonça son bonnet sur son crâne avec détermination. Alors qu'il s'éloignait d'un pas décidé, sa patronne l'arrêta :

— Pas si vite ! Il y a plus important : tu dois exiger la récompense qu'elle a promise. Deux pièces d'or, rien de moins. Ne reviens pas sans cet argent.

Mme Morteau soupira en voyant le garçon disparaître par la porte de derrière. Elle fit à nouveau courir ses doigts sur la petite carte crème avant de la ranger dans la poche de son tablier.

Les temps désespérés exigeaient, songea-t-elle, des mesures désespérées.

DEUX

Lily et Will avaient un telle faim qu'ils dévorèrent leurs pommes de terre et les eurent terminées avant même d'atteindre la vieille grange – ils les engloutirent si vite qu'ils n'eurent pas le temps de les savourer et qu'ils se brûlèrent la langue comme les doigts. Ce maigre repas apaisa à peine les gargouillis dans leur ventre, mais c'était mieux que rien.

Dans la grange ils se trouvèrent, ainsi que l'aubergiste le leur avait promis, au sec et à peu près au chaud ; de plus, l'odeur de fumier était discrète. Une couverture était posée dans un coin.

— On va devoir la partager, observa Lily en

bâillant et en déposant délicatement le coffret en bois par terre.

Will et elle s'allongèrent côte à côte, emmitouflés dans la couverture.

— Tu montes la garde, Po ? demanda-t-elle d'une voix pleine de sommeil.

— Oui, je vous réveillerai à l'aube.

Ni Will ni Lily ne le remercièrent. Sous la couverture, leurs deux poitrines se soulevaient déjà à l'unisson, telles des vagues à la surface de l'océan, et au bout d'une minute à peine la grange résonna d'un doux ronflement régulier.

Po, qui les surveillait, ressentit un léger pincement, comme si une main s'était refermée autour de son essence. Le fantôme fut à la fois surpris et gêné par cette sensation. Des souvenirs lointains se rappelaient à lui : une ronde d'enfants récitant une comptine, et Po à l'écart.

À l'écart. Trois petits mots auxquels il n'avait pas pensé depuis très longtemps. Est-ce qu'un fantôme avait besoin de se sentir accepté ? Quelle importance cela pouvait-il avoir pour lui ? Sa place était de l'Autre Côté, où le tunnel, sombre

et profond, du temps n'avait ni murs, ni sol, ni plafond, mais s'étendait sans fin.

— *Nous avons passé trop de temps du Côté des Vivants,* dit-il à Balluchon par la pensée. À son habitude, celui-ci miauppa son approbation. *Notre place n'est pas ici.*

Miouaf!

— *Allez. On doit retourner chez nous.*

Po sentit le monde des vivants – avec ses angles, ses frontières et ses contours précis – disparaître.

Il ne comptait pas rester de l'Autre Côté plus d'une ou deux minutes. Aucun mal ne serait fait à Lily dans cet intervalle, il en était convaincu.

Seulement le temps n'est pas facile à mesurer de l'Autre Côté, où l'éternité est la seule limite, où les secondes n'existent pas plus que les minutes, les heures ou les années : rien que l'espace infini. Quant à Lily et Will, ils dormaient à poings fermés. Les minutes s'accumulèrent jusqu'à former une heure et, juste après minuit, la porte de la grange s'entrouvrit pour livrer passage à l'homme à la chevelure de jais.

Il était, ainsi que l'avait supposé Mme Mor-

teau, un criminel professionnel. Surnommé L'Aimant, il s'illustrait par ses talents de voleur. Il subtilisait tout ce qui n'était pas fixé au sol ou aux murs : l'argent de la collecte dans les églises, les bonbons d'un enfant, la chemise d'un mendiant. Ses longs doigts, capables d'attraper portefeuilles, pièces et boucles d'oreilles avec la facilité d'un aimant attirant des bouts de ferraille, lui avaient valu son surnom.

Plus tôt dans la soirée, voyant la petite fille serrer le coffret contre sa poitrine, il l'avait, à l'instar de Mme Morteau, suspectée de mentir.

Elle avait prétendu qu'il n'y avait rien à l'intérieur, mais pourquoi trimballerait-elle une boîte vide ? Et pas n'importe quelle boîte, avait remarqué L'Aimant : une boîte à bijoux.

Posté dans le noir, il prêta une oreille attentive aux ronflements des enfants et s'autorisa un petit sourire de satisfaction en imaginant les magnifiques bijoux qui l'attendaient, disposés sur une belle doublure de velours, l'or et l'argent, les petites pierres précieuses avec lesquelles la lumière jouerait.

Ce serait le coup du siècle, celui qu'il espérait depuis toujours, depuis que, petit garçon, allongé sur son lit étroit de la crique de Jimmy, à côté de sa grande sœur cruelle, il rêvait d'avoir un jour assez d'argent pour s'acheter une immense maison rien qu'à lui, assez de pièces de monnaie pour se rouler dedans et les faire glisser entre ses doigts. De l'argent à brûler, à gaspiller, à amasser et à aimer !

Il traversa la grange à pas feutrés, ne réveillant pas même les chauves-souris accrochées aux poutres. Comme toujours, son cœur battait la chamade. Pas de nervosité, non, car il avait des années d'entraînement et excellait dans son art, mais de plaisir et d'anticipation.

Il approcha, approcha, approcha des deux silhouettes endormies, repliées l'une contre l'autre, telles deux virgules jumelles. Il se déplaçait centimètre après centimètre à présent, puis il s'agenouilla lentement par terre et sortit de son pardessus la petite boîte rectangulaire qu'il avait dérobée dans la cuisine de Mme Morteau et qui contenait de la fécule de pomme de terre. Il s'autorisa un nouveau sourire de satisfaction.

Cette boîte avait presque les dimensions du coffret à bijoux et pesait presque le même poids. Avec un peu de chance, il serait déjà à des kilomètres quand la petite remarquerait l'échange.

Après avoir calé le coffret à bijoux sous son bras, il retint à grand-peine un gloussement de joie. C'était vraiment facile… presque trop…

L'Aimant retraversa ensuite la grange en sens inverse et disparut dans la nuit noire.

Lily dormait ; Will dormait ; les chauves-souris dormaient. En résumé, tout le monde dormait, à l'exception du voleur à la chevelure de jais qui filait dans les rues de Gains, emportant (même s'il l'ignorait, bien sûr) la plus puissante des poudres magiques au monde.

Un peu plus tard, Po et Balluchon se glissèrent par un maigre interstice entre les plis qui séparaient les deux mondes et retrouvèrent le Côté des Vivants. Po fut surpris de constater que le ciel pâlissait déjà à l'horizon. Il était parti plus longtemps qu'il ne l'avait voulu.

À cet instant, Lily s'agita. Elle s'assit en se frottant les yeux et en clignant des paupières.

— C'est l'heure de se lever ? demanda-t-elle, la voix ensommeillée.

À côté d'elle, Will grogna.

— Oui, répondit le fantôme.

— Pauvre Po, dit-elle avec un bâillement sonore, tu as dû t'ennuyer toute la nuit sans rien d'autre à faire que nous surveiller.

Éprouvant un nouveau pincement étrange, il se souvint alors d'un mot oublié : *culpabilité*.

— Ce n'était pas si terrible, rétorqua-t-il.

— Po ne peut pas s'asseoir, de toute façon, observa Will, qui venait de se redresser sur les coudes. Je me trompe ? Tu n'as pas de jambes à plier, ni de derrière sur lequel te poser.

Po ne se donna pas la peine de répondre au garçon, dont les cheveux formaient des épis particulièrement grotesques. Dérivant vers la fenêtre, il décréta :

— On devrait y aller.

Po avait failli avouer à Lily sa visite de l'Autre Côté, mais la remarque de Will l'avait décidé à ne rien dire.

Et puis, songea le fantôme, la boîte était tou-

jours bien à sa place, à côté d'elle. Et aucun mal ne lui avait été fait.

En son for intérieur, Balluchon poussa un *miouaf!* d'approbation.

TROIS

La route qui quittait Gains était désolée et lugubre, alors qu'il avait dû en être autrement autrefois. De chaque côté de l'étroit chemin de terre se trouvaient des champs pelés. La plupart des fermes avaient été abandonnées des années auparavant et Lily ne reconnaissait rien.

La pluie, au moins, s'était arrêtée, et les températures s'étaient quelque peu radoucies, permettant aux deux amis de déboutonner leurs manteaux. Malgré tout, ils n'avançaient pas vite, surtout que la route se mit rapidement à grimper sur les contreforts. Le chemin était si peu pratiqué que, par endroits, il disparaissait complètement. Po et Balluchon partaient ainsi régulièrement en éclai-

reurs pour indiquer la bonne direction à Lily et Will, et leur éviter de s'épuiser en détours inutiles.

La patience de tous atteignait ses limites. Lily, qui s'était arrêtée pour s'éponger le front, répéta pour la centième fois :

— Je jurerais que cette boîte est plus lourde qu'hier.

— Si tu acceptais de me laisser la porter... rétorqua Will, également pour la centième fois.

— Non !

Le garçon ronchonna dans sa barbe avant de repartir.

— Qu'est-ce que tu dis ? demanda Lily, le cœur battant à tout rompre.

— J'ai dit que c'était de la folie ! s'écria Will en se retournant vers elle. Toute cette expédition est de la folie !

De frustration, il décocha un coup de pied dans une énorme pierre. La douleur irradia dans ses orteils et il se mit à sautiller.

— On marche depuis ce matin et on ne va nulle part ! J'ai dépassé cette pierre vingt fois au cours des deux dernières heures !

— Serais-tu en train de remettre en question mon sens de l'orientation ? s'enquit Po d'un ton sec, alors que Balluchon poussait un cri.

— Je suis désolé de ne pas être naturellement enclin à faire confiance à un fantôme. Qu'est-ce qui me prouve que tu ne nous as pas attirés ici pour nous tuer ?

— Et passer l'éternité en ta charmante compagnie ? Tu rêves !

— Arrêtez, arrêtez, arrêtez ! hurla Lily.

Elle se laissa tomber par terre avant d'ajouter :

— Ça ne sert à rien. On n'y arrivera jamais. On ne sait pas où on est, on ne connaît pas le chemin, et vous vous battez. C'est affreux. Je n'en peux plus…

Une larme roula le long de sa joue jusqu'à la pointe de son menton.

Will se força à rire.

— On ne se battait pas, Po et moi. C'était juste… euh… de la taquinerie. Hein, Po ?

— De la taquinerie ?

Devant le regard noir de Will, il s'empressa de rectifier :

— Ah, oui, de la taquinerie.

Lily s'essuya le nez avec la manche de sa veste.

— Vraiment ? renifla-t-elle.

Will hocha la tête avec vigueur et le fantôme marqua son assentiment en clignotant. Le malheur de Lily les rendait, tous deux, misérables. Ils étaient prêts à n'importe quoi pour qu'une seconde larme ne suive pas la première, n'ayant jamais, ni l'un ni l'autre, eu à faire face aux larmes d'une fille.

Seul Balluchon la rejoignit pour envelopper son essence de la sienne, afin qu'elle éprouve, dans son âme, une chaleur rassurante.

— Tout ira bien, Lily, dit Will, mal à l'aise. On arrivera là-bas, tu verras.

Juste à cet instant, un cri strident résonna dans les montagnes. Lily faillit laisser tomber la boîte. Will sursauta, et Po repassa momentanément de l'Autre Côté avant de réapparaître.

— Qu'est-ce que c'était ? demanda-t-elle.

Elle avait aussitôt oublié le chemin difficile qui les attendait et les chamailleries de Po et Will.

— On aurait dit un loup, hasarda le garçon, qui n'en avait jamais entendu.

— On doit avancer, les pressa le fantôme, la nuit ne tardera pas à tomber.

Lily se releva avec lassitude. Le moindre de ses muscles était endolori. Et, lorsque Will tendit la main pour lui prendre la boîte des mains, elle la lui remit, cette fois.

— Ne la lâche pas, surtout, dit-elle.

— Jamais.

— Promis ?

Il traça une croix sur son cœur. Et ils repartirent.

QUATRE

Le terrible cri qui avait provoqué la surprise de Lily et de ses amis ne provenait pas d'un loup, mais de L'Aimant. Ayant enfin gagné un endroit qui lui semblait assez isolé, le brigand avait déposé à terre le coffret à bijoux et l'avait ouvert avec des doigts que l'impatience faisait trembler.

Comment décrire sa rage, son indignation, sa déception brute et dévorante, lorsque, en lieu des piles de rubis, des rangs de perles et des petites bagues sonnantes, il s'était retrouvé face à un tas de poussière, sans la moindre valeur ? Car la poudre magique, pour lui, n'était que cela : de la poussière.

Il est impossible d'expliquer ce qu'il ressentit. Même lui n'aurait su le faire. Voilà pourquoi il poussa un long hurlement que l'on entendit jusque dans les montagnes.

Si L'Aimant avait pris le temps d'examiner plus attentivement le contenu de la boîte, il aurait pu distinguer certaines caractéristiques inhabituelles de ce qu'il avait, au premier coup d'œil, assimilé à de la poussière. Il aurait pu remarquer que celle-ci scintillait. Il aurait pu remarquer aussi que, selon certains angles, elle avait l'air de briller, tel le soleil qui leur manquait tant, et que, loin d'être d'un gris uniforme, elle contenait une centaine de couleurs différentes, allant du bleu au rouge, du violet au vert.

Mais il ne prit pas ce temps-là. En proie à la fureur, il plia la jambe et décocha dans la boîte un coup de pied vif. Celle-ci atterrit quelques mètres plus loin dans un craquement retentissant. L'Aimant constata avec plaisir que le loquet s'était cassé et que le coffret s'était ouvert.

Une pensée traversa soudain son esprit : la fillette s'était payé sa tête. Elle avait deviné,

d'une façon ou d'une autre, qu'il en avait après ses bijoux et elle les avait remplacés par de la poussière avant de se coucher. Oui, évidemment, ça ne pouvait être que ça. Elle avait voulu jouer aux plus malignes.

Cette pensée le soulagea aussitôt. Les bijoux se trouvaient quelque part, c'était forcé. L'avenir dont L'Aimant avait rêvé enfant était encore à sa portée… (Et il prendrait un plaisir infini à se venger de sa grande sœur une fois riche ! Il la débusquerait et lui ferait payer toutes les fois où elle lui avait tiré les oreilles, où elle lui avait pincé les coudes et l'avait traité d'asticot !)

Se rappelant que la fille avait demandé le chemin de la Maison Rouge, L'Aimant prit cette direction. Cette fois, il ne la détrousserait pas en pleine nuit. Cette fois, il repartirait avec sa fortune, dût-il pour ça la tuer.

L'Aimant sourit.

La poudre magique, exposée à l'air libre, se répandit sur le sol, tout autour de la boîte. Portée par le vent, elle commença, petit à petit, à recouvrir la surface du monde.

CINQ

Le chemin irrégulier que Lily, Will, Po et Balluchon suivaient finit par les conduire au pied des montagnes. On devinait déjà les étoiles derrière une fine couche nuageuse lorsqu'ils atteignirent enfin une étendue plate. Le sentier, lui, avait entièrement disparu. Tout autour d'eux, des champs nus. Et, au loin, une maison, aux fenêtres éclairées d'une lumière vive.

— Il doit s'agir du manoir Épinette, observa Lily. On passera la nuit là-bas.

Personne ne s'opposa à cette décision. La marche avait été longue et éreintante. Même Po était fatigué – à force d'être parti en éclaireur et revenu, à force d'avoir attendu que les autres

le rejoignent et de s'être retenu de dire quelque chose chaque fois que Will devait, encore, s'arrêter pour retirer un caillou de ses chaussures trop grandes pour lui.

Ce fut dans un silence assourdissant qu'ils s'engagèrent à travers le champ gelé vers le manoir. À chaque pas, Lily sentait sa joie croître. Bientôt ils auraient droit à un lit moelleux et peut-être même à un repas. Et ils se rapprochaient de la Maison Rouge, maintenant, elle en avait la certitude – elle n'était qu'à deux ou trois kilomètres du pied des montagnes. Demain, leur périple s'achèverait et l'âme de son père connaîtrait enfin le repos. Ensuite...

Eh bien, elle ne savait pas très bien ce qui arriverait ensuite, mais elle chassa cette pensée de son esprit. Po trouverait quelque chose. Et sinon, ils pourraient toujours, Will et elle, se faire embaucher à l'auberge Morteau et travailler pour la femme qui avait été si gentille avec eux.

Will était aussi impatient qu'elle d'arriver à Épinette. Le coffret était lourd – Lily n'avait pas menti –, et la faim lui tordait le ventre de dou-

leur, comme si un petit animal lui donnait des coups de griffe à l'estomac.

À une dizaine de mètres de la bâtisse, prise d'un regain d'énergie subit, Lily se mit à courir.

— Viens, Will ! On y est presque !

Le garçon voulut la suivre mais son talon l'élança : il avait de nouveau un caillou dans la chaussure.

— Crotte de bique ! Vas-y, Lily, je te rejoins dans une minute !

La fillette avait déjà atteint le manoir et frappait vigoureusement à la porte. Will s'assit sur une large pierre, remonta la jambe de son pantalon et se débattit avec sa chaussure, tout en pestant.

— Bonjour, entendit-il Lily lancer lorsque la porte s'ouvrit. Nous venons de Gains. Mme Morteau nous a dit que vous pourriez sans doute nous héberger pour la nuit.

De là où il se tenait, Will voyait un grand rectangle de lumière se détacher sur la nuit ainsi qu'une silhouette aux contours imprécis à l'intérieur de celui-ci.

— Bien sûr, ma chérie, entre, entre ! chantonna la silhouette.

La panique parcourut Will telle une décharge électrique. Aussitôt il oublia sa fatigue et le caillou dans sa chaussure. Cette voix avait quelque chose de louche… Son ton était trop doucereux. Comme le parfum des fleurs dont on recouvrait les cadavres.

Il la reconnut soudain. Le temps qu'il retrouve la parole, Lily remerciait déjà son hôtesse.

— Non, Lily ! Non ! hurla-t-il.

Elle se retourna, le visage plissé par l'inquiétude. À cet instant précis, la comtesse Prima Donna sortit sur le perron et l'attrapa à deux bras, crachant :

— Viens ici, sale petite bête !

— Cours, Will ! cria Lily pendant qu'on l'entraînait à l'intérieur. Ne t'arrête pas avant…

Il n'entendit pas la fin de la phrase. La porte claqua, le plongeant dans le silence.

SIX

Au réveil, Lily eut l'impression qu'on lui avait donné un coup de massue – ce qui était très précisément le cas. En se débattant pour échapper à la comtesse Prima Donna, elle s'était cogné la tête contre le chambranle de la porte et s'était retrouvée aussi inconsciente qu'une feuille de salade.

La comtesse avait alors fait deux découvertes importantes :

1. Elle préférait, et de loin, les enfants quand ils étaient inconscients.

2. La fille n'était pas en possession de la poudre magique, ce qui signifiait que le garçon devait l'avoir.

Lily était allongée sur un lit étroit dans une chambre toute blanche. Seule. Elle ignorait ce qui avait bien pu arriver à Balluchon et Po, et frissonna légèrement sous la mince couverture de laine.

Des bruits étouffés de dispute lui parvenaient à travers la porte : une voix d'homme qu'elle ne reconnaissait pas et celle de la femme qui l'avait faite prisonnière.

— Il ne peut pas être très loin, disait l'homme. Il fait noir comme dans un four dehors, et il n'a nulle part où aller.

— Eh bien, dans ce cas-là, vous ne devriez avoir aucun mal à le dénicher et le ramener ! répliqua la femme.

Lily identifia des pas, et les voix diminuèrent, même si elle entendit l'homme grommeler « vaurien » à plusieurs reprises.

La fillette observa la pièce avec davantage d'attention. Une petite lampe à huile brûlait dans un coin ; à côté du lit se trouvaient une table en bois et, devant celle-ci, une chaise. À l'exception de ces meubles, la chambre était vide.

Lily se redressa lentement ; la douleur dans son crâne s'intensifia. L'espace d'un instant, elle dut agripper le cadre du lit et répéter en boucle le mot *ineffable*.

Enfin, elle fut capable de se lever. Elle n'eut pas besoin d'appuyer sur la poignée de la porte pour savoir que celle-ci était fermée. À la place, elle s'approcha de la fenêtre. Les battements de son cœur se précipitèrent quand elle constata qu'elle pouvait l'ouvrir sans effort ; son enthousiasme retomba aussitôt : elle était très haut, au deuxième ou au troisième étage, et le sol sous sa fenêtre était rocailleux. L'arbre le plus proche se trouvait à six ou dix mètres.

Elle était bel et bien prisonnière. Il ne lui restait qu'à espérer que Will avait pris la direction de la Maison Rouge avec les cendres.

Au moment de refermer la fenêtre, elle fut surprise par son reflet dans la vitre : son visage et la pièce derrière elle se détachaient nettement sur la nuit noire. Elle s'était si souvent vue ainsi, dans le grenier, tandis qu'elle observait le monde à travers la vitre. À présent qu'elle faisait partie

de ce monde extérieur, elle peinait à reconnaître cette fille, la fille prisonnière du carreau.

La situation avait changé. Elle avait changé.

Lily prit la décision que, quoi qu'il advienne, elle s'échapperait. Même si elle était seule, même si la situation était désespérée, elle s'échapperait, quitte à y perdre la vie. Tout lui semblait préférable à un sort de prisonnière.

— Salut !

Lily sursauta en voyant Po surgir à côté d'elle, en compagnie d'un Balluchon surexcité.

— Où étais-tu passé ?

Si, quelques secondes plus tôt, Lily était convaincue de pouvoir s'en sortir seule, la présence de ses amis fantômes lui donna envie de pousser des cris de joie.

— Je suis allé prévenir Will de ce qui t'était arrivé, expliqua Po, et lui dire qu'il courait un danger.

— Il va bien ? Il a réussi à s'enfuir ? Et la boîte ?

— Tout va bien. Il a trouvé un bois, où il s'est caché. Il a toujours le coffret.

— Ouf! lâcha Lily. Je suis soulagée, même si je ne sais pas comment je vais bien pouvoir sortir…

Elle fut interrompue par les miauppements de Balluchon.

— Chut! lui souffla Po. Quelqu'un arrive. Remets-toi vite au lit.

Lily se glissa sous les draps, qu'elle remonta jusqu'au menton, au moment où le verrou coulissait. La porte de la chambre s'ouvrit en grand.

— Je vois que notre Belle au bois dormant s'est réveillée, chantonna Augusta Hortense Varice-Lantonnelle en entrant avec un plateau.

Lily retint un cri de surprise.

— Qu'est-ce… qu'est-ce que vous faites ici ?

— Tu ne dis pas bonjour, mon chou ?

Augusta voulut sourire et ne réussit qu'à produire une grimace.

— Qui est-ce ? murmura Po.

— Ma belle-mère, souffla la fillette.

Augusta, qui ne voyait pas Po – elle était habituée à ne voir que ce qui pouvait s'acheter, se peser ou se mesurer –, crut que Lily s'adressait à elle.

— Tu sais bien que j'ai toujours détesté cette expression, observa-t-elle en posant le plateau sur la petite table.

Dessus se trouvait un bol recouvert d'un couvercle métallique dentelé.

— Je ne vous appellerai jamais « mère », rétorqua Lily en levant le menton.

— Bien sûr que non, mon canard. C'est précisément cette partie-là de l'expression qui me chagrine le plus.

Augusta fit à nouveau un sourire grimaçant.

Il y avait des mois que Lily ne l'avait pas vue d'aussi près. Sa belle-mère ne montait pas au grenier. La fillette fut frappée par sa laideur – ni ses bas en soie, ni ses belles chaussures, ni ses robes en taffetas ne l'empêchaient de ressembler à un crapaud, destiné à se vautrer dans la boue.

— Comment m'avez-vous trouvée ? demanda Lily.

Augusta s'assit sur le lit, qui grinça sous son poids conséquent.

— Tu ne t'imaginais quand même pas réussir à aller très loin, si ? Tu me sous-estimes... dit-

elle en agitant un index dans sa direction. La comtesse Prima Donna est très contrariée par la disparition de sa poudre magique. Très. L'alchimiste aussi. Il n'a parlé que de ça tout le long du trajet jusqu'ici, des tortures qu'il ferait subir au garçon lorsque tout serait terminé. Il a l'intention de le transformer en ver de terre avant de le donner à manger à des oiseaux.

Augusta ne cachait pas sa propre jubilation. Elle appréciait beaucoup cet alchimiste : voilà un homme qui avait la tête sur les épaules !

— La poudre magique ? répéta Lily, totalement désemparée. Je… je ne sais pas de quoi vous parlez.

Augusta la fixa de ses yeux perçants ; la fillette semblait sincère.

— Pourquoi t'es-tu enfuie ?

Lily hésita un moment avant de redresser la tête.

— Je voulais apporter les cendres de mon père à la Maison Rouge, pour qu'il puisse reposer en paix. Il me l'a demandé, ajouta-t-elle sur la défensive.

Ce n'était pas vraiment ce qui s'était passé, bien sûr, mais il en avait discuté avec Po, ce qui revenait presque au même.

— Il te l'a demandé, hein ? Vous vous êtes parlé alors ? s'enquit Augusta d'une voix dangereusement mielleuse.

— Ou… oui. Il veut être placé au pied du saule pleureur, près de ma mère.

Le visage de la femme se durcit. Elle ne savait à quel saint se vouer. Soit Lily avait la poudre magique et elle avait convoqué l'esprit de son père, soit elle ne l'avait pas et elle n'avait pas pu parler avec son père. L'un dans l'autre, elle mentait, et Augusta désapprouvait le mensonge. Elle le désapprouvait même beaucoup.

— Tu l'as vu, alors ? insista-t-elle d'un ton encore plus doucereux.

Si Lily avait mieux connu sa belle-mère, elle aurait su qu'il fallait se méfier. Sans répondre vraiment à la question, elle rétorqua :

— Il est de l'Autre Côté.

Augusta étudia la fillette allongée dans le petit lit étroit. Peut-être l'avait-elle sous-estimée

après tout. « Il veut être placé au pied du saule pleureur, près de ma mère. » Ça ressemblait en effet à des propos que Henry Lantonnelle aurait pu tenir, ce fou sentimental. Augusta en était écœurée. Après toutes ces années, il n'avait toujours pas oublié cette femme quelconque.

Elle se fit alors la promesse, quelle que soit la vérité, de se débarrasser dès que possible des cendres – de préférence dans un trou sombre et humide. Tant qu'elle, Augusta, serait en vie, Henry Lantonnelle ne reposerait pas à côté de sa première épouse.

Affichant alors sa meilleure imitation de sourire, elle souleva le couvercle du bol. Aussitôt, la pièce fut envahie par une délicieuse odeur de bouillon de poule. Lily n'avait pas été en présence d'une nourriture aussi riche – et en aussi grande quantité – depuis une éternité... Elle en eut immédiatement l'eau à la bouche.

— Assez parlé, murmura Augusta en lui attachant une serviette autour du cou. Tu as fait un long voyage, fatigant, et tu dois être affamée. Je veux que tu manges tout.

Son visage était tout près de celui de Lily à présent ; son sourire dessinait un croissant de lune.

— Je veux m'assurer que tu es en bonne santé, ajouta-t-elle.

Prenant le bol d'une main, Augusta saisit une énorme cuillère, qu'elle remplit, à ras bord, de bouillon, de poulet grillé, de riz et de carottes.

— Ouvre grand la bouche, chantonna-t-elle. Une cuillerée pour papa…

Si Lily n'appréciait guère d'être traitée comme un bébé, elle avait trop faim pour se rebeller. Alors qu'elle écartait les lèvres, Po s'écria soudain :

— Non, Lily ! Non ! Ne mange pas !

Elle referma aussitôt la bouche. La cuillère entra en collision avec son menton et le bouillon brûlant coula sur sa serviette. Un morceau de poulet et un bout de carotte roulèrent sur ses genoux.

— Idiote ! souffla Augusta, avant de se ressaisir : Tu dois garder la bouche bien ouverte, ma chérie.

Lily adressa un regard noir à Po, qui n'avait pas quitté son chevet et dont les contours blanchissaient sous l'effet de la panique.

— Ça va pas la tête ?

— Enfin, Lily, que t'arrive-t-il ? s'emporta Augusta, croyant que la fillette lui parlait. Je veux juste que ma petite chérie d'amour mange la soupe que j'ai préparée spécialement pour elle. Recommençons, veux-tu ?

Elle remplit à nouveau la cuillère.

Po se mit à parler à toute allure :

— Tu te souviens de ce que ton père a dit quand je l'ai rencontré de l'Autre Côté ? Il a dit : « Je n'aurais jamais dû manger la soupe. » Tu te souviens ?

Lily avait le tournis. Des souvenirs se bousculaient devant ses yeux… Depuis la fenêtre du grenier, elle avait vu Augusta partir en trombe pour l'hôpital, emportant une gigantesque soupière. Allongée par terre, à côté du radiateur, elle avait entendu les domestiques discuter : « Les gens peuvent bien dire ce qu'ils veulent, cette femme ne peut pas être aussi mauvaise que ça. Elle

apporte de la soupe à monsieur tous les jours, de la soupe qu'elle mitonne elle-même. Elle s'assied sur son lit et elle le nourrit à la cuillère pour qu'il n'en perde pas une goutte. »

« Je n'aurais jamais dû manger la soupe. »

La peur et la haine déferlèrent sur Lily, lui apportant une révélation. Augusta était une meurtrière.

— Ouvre grand !

— Non ! hurla Lily en se plaquant contre son oreiller et en envoyant valser le bol d'un coup de pied.

Il se brisa contre le mur, où le persil ramolli et les rondelles d'oignon composèrent une œuvre temporaire.

Furieuse, Augusta se releva d'un bond. Elle empoigna Lily par les épaules.

— Imbécile ! Espèce d'imbécile idiote et bête !

Elle la secouait si fort que Lily en avait les dents qui claquaient. Elle réussit néanmoins à crier :

— Meurtrière !

Aussitôt, Augusta la lâcha. Lily bascula de

l'autre côté du lit, pour que celui-ci lui serve de rempart contre sa belle-mère.

— Qu'as-tu dit ? demanda celle-ci, ayant recouvré son calme.

Cette fois, Lily sentit venir le danger. Mais elle s'en fichait. La haine qui l'emplissait lui fournissait un regain d'énergie. Et la rendait dangereuse, elle aussi.

— Meurtrière, répéta-t-elle, serrant les poings si fort qu'elle planta ses ongles dans ses paumes.

Augusta la dévisagea un moment. Ses prunelles noires luisaient comme celles d'un serpent.

— Tu ne sais pas ce que tu dis, finit-elle par lâcher froidement. Tu es encore sous le choc. Tu dois te remplir l'estomac, dormir et, demain matin, tu te sentiras mieux.

Elle se baissa pour ramasser les débris du bol.

— Je sais très bien ce que je dis, au contraire ! insista la fillette. Vous l'avez tué. Empoisonné ! Et vous m'avez menti, vous m'avez empêchée de le voir alors qu'il était mourant.

La fureur faisait trembler sa voix.

L'espace d'un instant, Augusta conserva le silence. Lily crut qu'elle allait nier, mais alors un sourire étira ses lèvres, un sourire terrible, le sourire d'un chat sauvage juste avant de fondre sur sa proie. La fillette eut l'impression qu'une lame glaciale lui transperçait la poitrine. C'était donc vrai.

— Oui, reprit doucement Augusta. Oui, tu m'as démasquée. Je l'ai tué. Goutte après goutte, cuillerée après cuillerée, pour que personne ne l'apprenne jamais. Tu n'imagines pas la patience nécessaire. Il m'en a beaucoup coûté, mais c'était le prix à payer.

Son sourire de prédatrice s'élargit encore un peu.

— Avec toi, mon chou, je crains de ne pas pouvoir me montrer aussi indulgente. Je vais devoir être plus expéditive.

— Ne vous approchez pas de moi. Je vous déteste !

Augusta toisa sa belle-fille, comme pour la jauger.

— Tu sais, finit-elle par dire, je t'ai toujours

crue bête. Il semblerait que je t'aie sous-estimée. Enfin, peu importe à présent.

Elle se dirigea vers la porte, avant d'ajouter :

— Je vais revenir très bientôt, avec un nouveau bol de bouillon. Je l'ai préparé exprès pour toi, avec du beurre en plus. Je te promets que tu ne sentiras même pas le goût du poison. Je crois avoir entendu dire que les condamnés appréciaient leur dernier repas, non ?

— Je n'avalerai rien ! Vous ne pourrez pas me forcer !

Faisant volte-face, Augusta répliqua :

— Dans ce cas, tu mourras de faim. Libre à toi de choisir ta mort, mais je peux te garantir une chose : tu ne ressortiras pas vivante de cette maison.

Sur ces mots, elle quitta la chambre, claquant la porte derrière elle. Lily entendit la clé tourner dans la serrure. Puis des bruits de pas qui s'éloignaient. Et enfin le silence.

SEPT

— Ce serait beaucoup plus simple si tu étais un fantôme, répéta Po pour environ la millième fois.

— Je crois que j'ai compris, répondit Lily avec lassitude.

— Je cherche seulement à t'aider.

— Je sais, je sais.

Lily se frotta les yeux ; elle n'avait pas dormi de la nuit et était épuisée.

— Désolée, ajouta-t-elle.

— Tu es sûre que tu ne peux pas te désintégrer ? Pas même un tout petit peu ?

— Sûre et certaine.

Poussant un lourd soupir, Lily s'affala sur son lit. Elle arpentait la minuscule chambre depuis

des heures, du lit à la porte verrouillée, puis de la porte à la fenêtre, mais les mesures du problème demeuraient les mêmes : elle était prisonnière et n'avait aucun moyen de s'échapper. Le deuxième bol de soupe – empoisonné, sans le moindre doute – était posé sur la table, où elle l'avait laissé refroidir. Lily savait qu'Augusta avait raison. Viendrait un moment où elle devrait choisir entre absorber le poison et mourir de faim.

Sa situation était désespérée.

Po passait au travers de la table, dans un sens et dans l'autre, comme pour démontrer combien l'exercice était facile.

— Ce serait encore plus facile si tu étais un fantôme, marmonna-t-il.

Lily se raidit soudain. Puis elle fixa son ami si longtemps qu'il devint nerveux et s'estompa au point de n'être plus qu'une silhouette gris clair, presque invisible.

— Po, dit-elle d'une voix où pointait la surprise. Tu as parfaitement raison.

— Je sais bien, rétorqua-t-il, de plus en plus mal à l'aise.

Lily se conduisait très bizarrement. Un instant elle lui faisait la leçon, et la suivante elle le couvrait de compliments. Les vivants avaient décidément des sautes d'humeur incompréhensibles.

— Mais tu n'es pas un fantôme, si ? On n'est donc pas plus avancés.

— Non… répondit Lily tandis que l'ombre de l'ombre d'une idée prenait forme dans son esprit.

Elle s'efforça de se concentrer dessus pour qu'elle se précise.

— Je ne suis peut-être pas un fantôme, reprit-elle, pourtant rien ne m'empêche de prétendre que j'en suis un pendant un moment.

— Je ne comprends pas où tu veux en venir.

Po sentait l'irritation le gagner. Il n'aimait pas jouer aux devinettes.

— L'Autre Côté, s'écria-t-elle en bondissant de son lit, le regard brillant. Tu ne vois pas ? Je peux te suivre là-bas. Traverser avec toi. Ensuite, on reviendra du Côté des Vivants, mais ailleurs. Dans un endroit plus sûr.

Durant quelques secondes, aucun bruit ne vint troubler le silence. Lily retenait sa respiration. Même Balluchon restait étonnamment calme. Puis Po dit :

— Impossible.

— Pourquoi ? Pourquoi est-ce impossible ?

— Les vivants ne peuvent pas passer de l'Autre Côté. Ça n'est jamais arrivé. On ne peut pas faire une chose pareille.

— On ne peut pas le faire ou on ne l'a jamais fait ?

— Les deux, mais quelle importance ?

Po avait du mal à garder les idées claires.

— Ça ne marcherait pas, insista-t-il. Ça ne peut pas marcher.

— Pour aller de l'Autre Côté, tu dois bien emprunter une sorte d'ouverture, non ?

— Des endroits où l'univers est moins dense, oui...

— Et tu peux décider où tu veux réapparaître, non ? Il y a bien différents tunnels, différents chemins pour circuler d'un Côté à l'autre ?

— Oui, dans une certaine mesure...

— Alors pourquoi ne pourrais-je pas faire pareil, moi ? Pourquoi ne pourrais-tu pas m'emmener avec toi ?

Prenant soudain un air très grave, Lily baissa la voix :

— De toute façon, je finirai de l'Autre Côté, Po. Si je ne trouve pas le moyen de sortir d'ici, j'atterrirai là-bas.

Le fantôme en fut réduit au silence : il n'avait pas envisagé les choses sous cet angle.

— Rien ne m'empêche d'essayer de... d'agrandir l'ouverture, dit-il à contrecœur. Pour que tu puisses t'y faufiler avec ton corps.

Lily bondit d'excitation tout en applaudissant.

— J'en étais sûre ! Je savais que c'était possible !

— On n'a aucune garantie de réussite, répliqua-t-il sèchement. J'ai dit que j'essaierais. Une fois qu'on sera de l'Autre Côté, tu ne devras pas me quitter d'une semelle. C'est immense et il y a des coins très surprenants.

— D'accord, répondit Lily, la voix légèrement serrée.

— Je te conduirai directement à une autre ouverture entre les deux mondes. Je n'ai pas la moindre idée de ce qui pourrait arriver à un vivant qui resterait trop longtemps de l'Autre Côté. Rien de bon, sans doute.

Lily hocha la tête. Elle avait le cœur qui tambourinait et la gorge très sèche, soudain.

— Prête ?

— Maintenant ?

— Je ne vois pas l'intérêt d'attendre. Toi, oui ?

Elle secoua la tête. L'excitation avait cédé le pas à la peur. Lily regrettait à présent d'avoir fait cette suggestion. Pourtant elle savait, au fond d'elle, qu'il n'y avait pas d'autre solution.

— Entendu, reprit Po. Je vais tenter de créer un passage assez large pour toi.

À la dernière seconde, il ajouta :

— J'ignore ce que tu penseras de l'Autre Côté. Il te paraîtra sans doute effrayant. Et perturbant. Il vaut peut-être mieux que tu fermes les yeux. Fie-toi au son de ma voix, je te guiderai.

Elle obtempéra sans discuter. Il lui sem-

bla entendre un léger déchirement, comme si quelqu'un détachait une feuille d'un rouleau d'essuie-tout. Puis un vent froid lui caressa le visage.

— Dépêche-toi ! Avance !

Percevant, au ton de Po, qu'il lui en coûtait beaucoup d'efforts, Lily s'exécuta. Aussitôt, elle fut assaillie par des hurlements stridents et un millier de vents contraires. Elle en eut instantanément le souffle coupé. Elle ne pouvait plus bouger ; elle ne pouvait plus respirer ; son corps n'était plus qu'un immense cri.

Soudain, elle entendit la voix de Po, telle une voix intérieure.

— Presse-toi, lui disait-il. Tout droit. N'ouvre pas les yeux surtout. Et écoute-moi. N'écoute que moi.

À pas lents et douloureux, elle progressa, centimètre après centimètre, comme si elle marchait dans de la mélasse. Les hurlements qui l'encerclaient ne faisaient qu'empirer ; le vent lui fouettait la peau et elle avait l'impression que sa tête était sur le point d'exploser.

Pourtant, elle continuait à sentir Po en elle-même, et il l'encourageait à avancer. C'était une présence à la fois rassurante et déstabilisante, qui lui donnait l'impression d'être scindée en deux. Balluchon était là aussi, ombre humide et ébouriffée dans son esprit.

Ainsi soutenue par ses amis fantômes, Lily progressait sur les chemins tortueux de l'Autre Côté.

Après ce qui lui parut une éternité – et qui en réalité avait duré à la fois peu et beaucoup, tant ces notions n'avaient aucune valeur de l'Autre Côté –, Po l'interpella à nouveau. Sa voix trahissait les efforts qu'il devait fournir, une fois encore.

— C'est bon, tu peux retraverser ici.

Lily gardait les yeux fermés : elle avait trop peur pour les rouvrir. Elle voulut faire un pas en avant mais se heurta à un mur solide.

— Allez ! la pressa le fantôme. Je ne peux pas laisser ce passage indéfiniment ouvert !

— Je n'y arrive pas ! Il y a un obstacle !

— Il n'y en a aucun, Lily. Tu dois me faire confiance.

— Je le sens ! rétorqua-t-elle, la gorge nouée par un sanglot. Je suis face à un mur.

— Lily…

Po avait beau s'exprimer avec calme, elle percevait sa panique.

— Lily, l'Autre Côté est en train de te retenir. Tu commences à devenir floue.

Elle crut qu'elle allait fondre en larmes. Son corps était grevé d'un poids accablant, comme si elle avait été remplie de sable de la tête aux pieds.

Po continuait à parler d'une voix tremblante : il ne pourrait pas maintenir encore longtemps l'ouverture entre les deux dimensions.

— Quand je te le dirai, tu devras sauter, d'accord ? Il faudra que tu te jettes en avant, Lily.

— Mais…

— Ne discute pas !

— D'accord.

Elle savait pourtant que c'était impossible. Elle ne pouvait plus bouger. Elle était paralysée. Les vents la déchiquetteraient tels des vautours.

Tout à coup, Po hurla dans sa tête :

— *Maintenant, Lily! Saute!*

Elle ordonna à ses muscles d'obéir. Elle repensa aux moineaux prenant leur envol sur le toit du 31, avenue du Mont. Elle repensa à son père.

Elle avança à peine d'un millimètre, mais ce fut suffisant. Les liens de l'Autre Côté se défirent aussitôt, la laissant avec l'impression de basculer dans le vide. Elle était en chute libre ; les hurlements des vents allèrent crescendo. Puis, sou-

dain, ils cessèrent, et elle atterrit, à quatre pattes, sur un sol dur et humide.

— Tu es saine et sauve, lui dit Po, qui s'adressait à nouveau à elle de l'extérieur. Tu peux ouvrir les yeux.

Ils se trouvaient à la lisière d'un bois sombre. Le manoir Épinette était à plusieurs centaines de mètres derrière eux. À cette distance, la fenêtre de la chambre où elle avait été enfermée n'était plus qu'un petit rectangle jaune pâle.

Elle distinguait à peine Po – la manœuvre l'avait tellement éreinté qu'il était à peine visible dans la pénombre.

— On a réussi, dit Lily en se relevant.

Elle tremblait un peu : son voyage de l'Autre Côté l'avait épuisée, elle aussi.

— Oui, approuva-t-il simplement.

— Merci.

— Oui.

Quand elle songeait qu'une minute plus tôt le fantôme était à l'intérieur d'elle, Lily hésitait entre éprouver de la gêne, de l'enthousiasme et de la tristesse.

Soudain, elle fut prise d'un fou rire. Elle aurait été incapable d'expliquer pourquoi, mais la situation lui paraissait absurde : un esprit venait de lui sauver la vie en l'introduisant dans le monde des morts. Incapable de se contrôler, elle se tordit bientôt de rire.

— Je ne vois pas ce qu'il y a de si drôle, observa Po.

Ses contours se dessinaient avec davantage de netteté.

— Oh, Po ! répondit-elle en s'essuyant les yeux et en laissant échapper un nouvel éclat de rire. Tu ne peux pas comprendre !

Miouaf! confirma Balluchon.

— Bon, alors allons-y, reprit le fantôme. Will est seul dans le bois. On ferait mieux de le rejoindre sans tarder.

Saisie d'un élan de gratitude au moment de lui emboîter le pas, elle s'écria :

— Je ne sais vraiment pas ce que je ferais sans toi ! Je ne sais même pas si j'ai fait quoi que ce soit sans toi. Maintenant que je t'ai trouvé, tu ne me quitteras jamais, promis ?

Lily prit le silence de Po pour un consentement et en fut heureuse.

HUIT

Will entendit une brindille se briser dans son dos. Faisant volte-face, et brandissant un bâton en guise d'arme, il s'écria :

— Qui va là ?

— C'est bon, Will, dit Lily en surgissant de derrière un arbre, Po et Balluchon sur les talons. C'est nous.

L'air penaud, le garçon abaissa son bâton.

— J'ai cru qu'il s'agissait de l'alchimiste ou de la comtesse Prima Donna.

— L'alchimiste ? répéta Lily, le nez plissé. Celui qui t'employait ?

Lors du trajet en carriole, Will lui avait décrit, dans les grandes lignes, son travail pour l'alchi-

miste, tout en se gardant bien d'avouer qu'il était un simple apprenti.

— Mon ancien maître et la comtesse sont à mes trousses, parce que j'ai égaré une boîte contenant une poudre magique, expliqua-t-il. La comtesse était embusquée à Épinette, c'est elle qui t'a attirée à l'intérieur du manoir. Je suis désolé, je crois que tout est de ma faute.

C'était la première fois que Will avouait à Lily la véritable raison de son évasion, et il baissa la tête. La fillette se précipita vers lui pour le rassurer.

— Tu n'es pas le seul responsable, Will. Ma belle-mère en a après moi, elle veut me tuer.

Lily se mordilla la lèvre de perplexité avant d'ajouter :

— Je me demande bien comment ils ont su où nous trouver. Et comment ont-ils découvert que nous étions ensemble ?

— La comtesse Prima Donna a des informateurs partout, répondit Will, la mine sombre.

— Impossible ! Qui aurait bien pu lui apprendre que je m'étais enfuie ? Le coffret est-il en sûreté ?

— Oui, je l'ai caché.

Se dressant sur la pointe des pieds, il plongea le bras dans le tronc d'un immense chêne et en sortit la boîte.

— J'avais l'intention… reprit-il avant de s'interrompre, gêné.

Il comptait, après avoir caché les cendres en lieu sûr, voler au secours de Lily et s'était mis en tête de construire, dans ce but, une échelle à partir de branches et de tout ce qu'il avait pu ramasser. Il n'avait pas encore beaucoup avancé. Du pied, il poussa des feuilles mortes sur son ouvrage, croisant les doigts pour que Lily n'ait rien remarqué. Il était trop tard, pourtant.

— Qu'est-ce que c'est que ce… truc ? s'écria Po.

Maintenant qu'il avait récupéré, le fantôme se détachait beaucoup plus nettement sur le décor sombre de la forêt. Il se mit à voleter autour de la pile de petit bois que Will avait entrepris d'assembler et de lier.

— Rien, s'empressa de répondre le garçon en se plaçant juste devant Lily pour l'empêcher de voir.

Elle fit un pas de côté et, plissant le nez, demanda :

— C'est... une échelle ?

Conscient que mentir ne lui servirait plus à rien, Will confessa d'un ton contrit :

— Oui... Po m'avait expliqué que tu étais enfermée dans une des pièces du dernier étage.

— Et tu comptais venir me chercher ?

— Oui, marmonna-t-il. Ou essayer, au moins.

Il avait le visage cramoisi. C'était la première fois qu'il se sentait aussi ridicule de toute sa vie : il réalisait combien son idée était idiote. D'autant que Lily n'avait clairement pas besoin de lui pour s'échapper, ayant réussi toute seule. L'alchimiste avait peut-être raison sur toute la ligne, finalement : il n'était qu'un bon à rien.

Will fut si surpris lorsque Lily se jeta à son cou qu'il bascula en arrière. Personne ne l'avait jamais pris dans ses bras avant et il ne savait pas comment réagir. Les cheveux de la fillette lui chatouillaient la joue et il sentait son cœur battre la chamade malgré les différentes épaisseurs de vêtements. Demeurant parfaitement immo-

bile, il pria en silence pour qu'elle le lâche. Son malaise ne cessait de croître.

— Merci, murmura-t-elle. Tu es sacrément courageux.

— Tu le penses vraiment ?

— Oui. Et intelligent.

— Ah…

Quand Lily le lâcha enfin, Will se rendit compte qu'il avait la tête qui tournait, comme s'il venait de faire des tours sur lui-même.

— Ah… répéta-t-il.

Po renifla bruyamment.

— Venez, dit Lily, prise d'un regain d'énergie. Nous ne devons pas être loin de la Maison Rouge, maintenant. Ils ne vont sans doute pas mettre longtemps à découvrir ma disparition et à se lancer à nos trousses.

— C'est peut-être déjà le cas, rétorqua Will.

— Raison de plus pour ne pas s'attarder, observa Po, qui prit la tête de la troupe avec Baluchon.

Le vent était étrange cette nuit-là : puissant, il apportait un parfum de changement. Il s'accom-

pagnait de frissons qui vous remontaient le long du dos ; les vieilles femmes resserraient leurs châles sur leurs épaules, les bébés vagissaient et les bonnes se relevaient pour vérifier que les volets étaient bien fixés.

Will et Lily ne furent pas épargnés. Lorsqu'ils s'arrêtèrent pour se reposer un moment, ils durent se blottir l'un contre l'autre à l'abri d'un érable, ce qui ne les empêcha pas de grelotter, tant le vent semblait chercher, sans relâche, à obtenir quelque chose d'eux.

Augusta le sentit s'infiltrer entre les lames du plancher du manoir Épinette, à travers les murs et les fenêtres. En proie à une terreur indicible, elle se précipita au dernier étage pour voir comment allait Lily et découvrit, bien sûr, qu'elle s'était volatilisée…

L'alchimiste et la comtesse Prima Donna, qui couraient dans le bois en tenant bien haut leurs lanternes, furent frappés de plein fouet.

Les bourrasques apportèrent à Mme Morteau un sentiment de regret qu'elle était incapable de s'expliquer.

L'Aimant, qui affronta cette tempête sur la route de la Maison Rouge, se rendit compte que la perspective de ce qu'il ferait une fois riche ne le réchauffait même pas...

Un policier, une vieille dame qui avait la goutte au nez et un garde un peu simple d'esprit portant une chatte en écharpe y furent aussi confrontés lorsqu'ils traversèrent les montagnes, à la recherche de Will et Lily. Ils avaient croisé en chemin un garçon borgne monté sur un âne, qui, interrogé sur les deux enfants, leur avait répondu, ainsi que Mme Morteau le lui avait fait répéter : « Ils sont en route vers la Maison Rouge... »

Et tout autour d'eux, une magie d'une puissance incommensurable continuait à tourbillonner et se répandre, portée par le vent.

NEUF

Guidés par Po et Balluchon, Lily et Will sortirent du bois. Lorsqu'ils atteignirent un endroit, en haut d'une colline, où le feuillage était moins touffu, le paysage, plus plat et désolé, le jour s'était levé. Le ciel avait une teinte laiteuse, voilé par une couche dense de nuages. Le vent continuait à souffler, réveillant des souvenirs et des sentiments anciens.

— Je sais où nous sommes, décréta Lily.

La lisière de la forêt, l'étendue plate du champ devant eux, le lit sec de la rivière sur le côté, le vent… tout cela la faisait basculer tête la première dans le passé. Elle tombait, tombait, tombait, et des images jaillissaient dans sa mémoire :

le parfum de la terre mouillée et les herbes hautes qui lui montaient jusqu'à la taille; la mare qui brillait telle une pièce d'argent au pied du saule pleureur; le vieux puits aux pierres couvertes de mousse; les éclats de rire et les cris; la vieille maison qui grinçait et gonflait par temps de pluie, telles les articulations d'une vieille femme; les parties interminables de cache-cache; les placards obscurs, ainsi que l'odeur de la laine et de la naphtaline.

D'autres souvenirs lui revenaient, plus vagues et intrigants aussi, à l'instar de cette chaleur qui lui chatouillait le cou et de cette présence éblouissante dans le ciel. Le soleil.

— C'est par là, indiqua Lily.

Elle avait l'impression de devoir chuchoter, comme dans une église.

— Juste derrière ce muret, précisa-t-elle. La mare et le saule pleureur se trouvent après la maison.

Sentant peut-être lui aussi que l'endroit qu'ils avaient atteint était sacré, Will baissa la tête et fit bien attention en posant les pieds – à croire qu'il

aurait pu briser la terre. Même Po hésitait. Dans la lueur trouble de l'aube, le fantôme n'était rien de plus qu'une virgule gris clair, vacillante. Seul Balluchon devançait gaiement la petite troupe, inconscient du changement en cours.

En dépit du froid et du vent mordant, Lily se mit à transpirer alors qu'ils traversaient le champ. Elle devait régulièrement essuyer ses paumes moites sur sa veste pour éviter que le coffret lui échappe. Ils avaient accompli un long chemin pour arriver à cet endroit précis, pourtant elle n'avait pas pris le temps de se demander ce qu'elle éprouverait en revoyant la maison après toutes ces années. Pas plus qu'elle n'avait songé à ce que ça lui ferait d'enterrer son père. Elle serait vraiment toute seule, après.

Comme s'il lisait dans ses pensées, Will lui murmura :

— Ça va ?

— Oui, répondit-elle en raffermissant sa prise sur le coffret.

« Non, songea-t-elle. Pas seule. Plus jamais. » Elle avait Will, Po et Balluchon désormais. Ils

atteignirent le petit muret. Les deux fantômes passèrent au travers ; le garçon et la fillette, eux, durent l'escalader. Au-delà, le sol descendait en pente douce vers la Maison Rouge. Derrière, la mare reflétait la masse grise du ciel et le saule pleureur. Ses feuilles étaient brunes et il paraissait plus penché et triste que jamais.

— Ah… fit Lily. Ah…

Un creux se forma dans sa poitrine. La maison, la mare, l'arbre : tout était à la fois terriblement familier et différent des souvenirs qu'elle en avait gardés. Plus petit et plus misérable, d'une certaine façon.

Lily fut submergée par le sentiment d'étrangeté de ce qui l'entourait. Si elle faisait partie du monde, lui ne dépendait pas d'elle. Elle n'en était qu'une partie infime, une puce sur le dos d'un éléphant. Quelque part se trouvait le centre, magique, de l'univers, et elle était à mille lieues de lui. Tout en la rassurant, cette idée la rendit triste.

— On avait l'habitude de pique-niquer ici, dit-elle alors qu'elle désignait une zone déserte.

Et en hiver, on faisait des anges de neige, là.

Elle paniqua en sentant une boule se former dans sa gorge.

— Ça devait être super ! répondit Will avec un enthousiasme forcé et hors de propos. Et si on s'occupait de…

Po le fit aussitôt taire :

— Chut ! J'entends des voix.

En une fraction de seconde, Balluchon et lui eurent disparu. Will et Lily se pétrifièrent. Ils tendirent l'oreille mais ne distinguèrent rien d'autre que les hurlements du vent et les battements de leurs cœurs. Puis Po et Balluchon revinrent. Ce dernier miauppait d'excitation.

— C'est eux, les informa le fantôme d'un air grave. Celle que tu appelles « comtesse Prima Donna », et l'échalas.

— L'alchimiste ! souffla Will en se décomposant.

Lily l'entraîna vers la bâtisse. Ils n'allaient pas se laisser arrêter aussi près du but.

— Vite, dit Lily. Il y a un placard sous l'escalier, on pourra se cacher là.

Les fenêtres de la Maison Rouge étaient recouvertes d'une épaisse couche de poussière, et la peinture de la façade s'écaillait, comme si elle était en pleine mue. Cependant, à la grande surprise de Lily, la porte d'entrée ne lui opposa aucune résistance.

L'alchimiste et la comtesse Prima Donna atteignaient le muret lorsque Lily, Will, Balluchon et Po disparurent à l'intérieur.

— Ferme la porte, murmura la fillette à Will, qui obtempéra.

Les vitres étaient si crasseuses qu'aucune lumière ne filtrait. On ne voyait absolument rien.

— Tu crois qu'ils nous ont vus ? demanda le garçon, tout bas.

— Aucune idée.

— Balluchon et moi, on va monter la garde dehors, proposa Po. On vous préviendra s'ils approchent.

Pendant un moment, Will et Lily restèrent près de la porte, aux aguets. Ils pouvaient entendre la comtesse et l'alchimiste discuter tout en

descendant la pente et en faisant crisser leurs semelles sur l'herbe couverte de rosée.

— Je ne vois aucun signe d'eux, observa la comtesse.

— Nous les avons peut-être précédés, répondit-il.

— Viens, souffla Lily. Par ici.

À pas feutrés, elle se dirigea vers l'escalier à l'arrière de la maison, veillant à garder les mains sur les murs de part et d'autre du couloir, pour se guider. Le papier peint s'effritait sous ses doigts : un papier jaune à pensées violettes, se rappela-t-elle. Ça sentait l'humidité et le renfermé. Pourtant, sous cette odeur dominante, elle en percevait une autre, une qui lui remémorait sa petite enfance, une odeur de gâteau sorti du four, de bruyère sauvage et de bonheur.

Se montrant moins précautionneux qu'elle, Will fit grincer une lame du plancher.

— Attention !

— Désolé, dit-il.

Ils remontèrent lentement le couloir plongé dans le noir. Lily tentait de se représenter la dis-

position précise du rez-de-chaussée. La pièce qu'ils venaient de laisser sur leur droite devait être la cuisine – elle avait senti le bois des portes battantes –, ce qui signifiait que d'une seconde à l'autre ils tomberaient sur la salle à manger, à gauche.

— *ATCHOUM !*

— À tes souhaits, dirent en chœur Will et Lily.

— Je n'ai pas éternué, fit-elle.

— Moi non plus, ajouta-t-il alors que la peur le gagnait. Lily, je crois…

Il ne finit jamais sa phrase. Des lumières jaillirent tout autour d'eux et, soudain, des cris emplirent la maison. Une femme croassait :

— On a enfin mis la main sur eux ! Ne vous avais-je pas prédit qu'ils seraient ensemble ?

Lily et Will furent empoignés brutalement – dans la panique, ils n'avaient pas vu le nombre exact de mains qui avaient surgi des ténèbres. Tout n'était plus que confusion, ponctuée de hurlements inhumains évoquant le miaulement strident d'un chat et d'éternuements bégayants,

tandis que les murs se couvraient d'ombres dansantes.

Will entrevit une énorme figure éclairée par une lampe. Cette figure effrayante était barrée d'un sourire aussi large qu'une demi-lune et dessous se trouvait une seconde – celle d'une bête aux yeux jaunes perçants et au petit nez. Sous l'effet de la terreur, Will crut que les deux visages ne faisaient qu'un et constituaient un monstre à deux têtes.

— Te voilà ! s'écria celle du haut. Je savais bien que je te rattraperais. J'ai un petit cadeau pour toi.

Will vit deux mains gigantesques avancer vers lui. Un morceau de tissu était tendu entre elles deux. « Il veut m'étouffer, pensa-t-il. Je vais mourir. »

Et il s'évanouit juste au moment où Mel lui vissait un épais bonnet de laine sur la tête.

DIX

Pendant quelques secondes, après avoir repris connaissance, Will ne comprit pas où il se trouvait. La petite pièce aux couleurs passées, la douleur au bas de son dos et les grommellements familiers de l'alchimiste le plongèrent un instant dans l'illusion qu'il était de retour chez son maître et que les événements des derniers jours – l'échange des boîtes, la fuite, le train, Lily – n'avaient été qu'un rêve.

— Bien dormi ? lui demanda Po, non sans ironie.

Will sursauta et, aussitôt, une douleur fulgurante irradia dans ses épaules et ses poignets. Le fantôme disparut sur sa gauche avant de réapparaître à la droite de Lily. Assis côte à côte sur des

chaises branlantes, Will et elle avaient les mains menottées dans le dos et les chevilles attachées aux pieds de leurs chaises avec une grosse corde.

Will piqua un fard : il n'en revenait pas de s'être évanoui devant Lily.

— Qu'est-ce... qu'est-ce qui s'est passé ?

— Ils nous ont tendu un piège, répondit-elle d'une petite voix. Et ils ont pris la boîte.

Will secoua la tête dans le but d'y mettre de l'ordre. La fumée des nombreuses lampes à huile – disposées à même le plancher, un peu partout dans la pièce – contribuait à l'embrouiller. Ils devaient se trouver dans la salle à manger. Il y avait une longue table en bois au centre et, autour, plusieurs fauteuils dont la soie, d'un blanc défraîchi, avait été grignotée par les insectes.

Dans un coin se tenaient la vieille dame du train, le policier et le garde qui travaillait chez la comtesse Prima Donna. Il portait sur le torse un chat dans une écharpe en bandoulière. Will comprit que c'était pour cette raison qu'il avait cru voir un monstre à deux têtes.

La vieille dame semblait le sermonner. Elle

martelait sa canne sur le parquet pour donner plus de poids à ses propos.

— Bien sûr qu'il est impératif de les attacher ! disait-elle. Qu'est-ce qui pourrait être plus impératif que ça ? Nous avons affaire à deux... *ATCHOUM !*... criminels, et nous faisons notre devoir de citoyen en... *ATCHOUM !*... les produisant devant un tribunal !

— Des criminels, hein ?

Mel se frottait le front d'un air irrésolu.

— Moi, reprit-il, j'ai l'impression que ce ne sont que des enfants.

— C'est exactement ce qu'ils veulent nous faire croire ! N'avez-vous pas entendu ce que la... *ATCHOUM !*... comtesse Prima Donna a dit ? Ils l'ont détroussée ! *ATCHOUM !* Et ils ont pris la fuite, de surcroît ! *ATCHOUM !*

— Je reste sceptique...

La porte s'ouvrit à la volée, laissant passer un courant d'air glacial. La comtesse Prima Donna fit une entrée remarquée, suivie de l'alchimiste.

— Nous procéderons au charme ici, dit-elle en désignant la vieille table. Je veux voir le résul-

tat de mes propres yeux. Et je ne tolérerai aucune erreur cette fois.

— Non, bien sûr, s'empressa-t-il de la rassurer. Aucune erreur.

— Nous attendrons Augusta, qui s'est révélée une aide précieuse dans cette affaire.

À côté de Will, Lily se mit à trembler comme une feuille.

— Augusta est là, souffla-t-elle à Will. Elle est venue pour me tuer, j'en suis sûre.

— Je l'en empêcherai, dit-il avec une assurance qu'il était loin d'éprouver. Ne t'inquiète pas, Lily, nous trouverons un moyen de nous échapper.

— Comment ? s'enquit Po. Tu comptes les hypnotiser ?

— Nous devons gagner du temps, répliqua la fillette.

Elle se débattit avec les menottes, mais renonça vite, dès qu'elle constata que le métal lui cisaillait les poignets. Peut-être pourrait-elle libérer ses chevilles.

— Il nous faut du temps pour mettre au point un plan. Pour réfléchir.

— On a besoin d'une diversion, ajouta Will, se rappelant qu'il leur arrivait à l'orphelinat, à lui et aux autres pensionnaires, de faire éclater des pétards sous la fenêtre du directeur pour l'empêcher d'aller au bout de ses quarante fessées quand il administrait une punition.

— Une diversion ! répéta Lily. Po, pourrais-tu…

Le fantôme avait déjà disparu, avec Balluchon.

— Super, observa Will en levant les yeux au ciel. Très courageux.

— Je suis sûre qu'il va revenir, répliqua Lily, sans conviction pourtant.

Des bruits de pas résonnèrent soudain dans le couloir, et Augusta pénétra dans la pièce. Elle promena un regard méprisant autour d'elle, sur le papier peint défraîchi qui partait en lambeaux, sur le plancher irrégulier, sur la vieille table en bois et sur les chaises à haut dossier aux coussins grignotés par les insectes, avant de plisser le nez de dégoût.

— Moi qui espérais ne jamais remettre les pieds ici, fit-elle remarquer. C'est aussi hideux que dans mon souvenir.

— Augusta, dit la comtesse, vous arrivez juste à temps. L'alchimiste s'apprête à exercer ses pouvoirs magiques.

— Magiques ! s'exclama la vieille dame du train. Bah !

Puis elle éternua.

— Magiques ! répéta Mel en secouant la tête. Qui aurait cru…

— Magiques ! s'écria Lily, curieuse malgré elle.

Augusta tourna la tête dans sa direction.

— Te voilà, mon chou. Saine et sauve.

Elle traversa la pièce et ses jupons bruissèrent, évoquant un serpent. Elle posa une main lourde sur l'épaule de Lily et lui dit tout bas :

— Pour le moment, en tout cas. Le voyage de retour jusqu'à Funest sera long, et ces routes sont très dangereuses. Je crains que tu n'arrives pas à destination.

Se tortillant pour repousser la main de sa belle-mère, Lily faillit basculer sur sa chaise. Augusta éclata d'un rire cruel.

— Nous sommes prêts, annonça l'alchimiste. Où est la poudre magique ?

— Il n'y a qu'un tour de magie qui m'intér… *ATCHOUM!…* qui m'intéresse! La remise de ces deux délinquants à la justice.

— Silence! tempêta la comtesse Prima Donna.

Elle dirigea ses yeux féroces vers la vieille dame et ses deux compagnons.

— Je ne tolère votre présence que parce que vous avez contribué à l'arrestation de ces voleurs. Surtout vous, monsieur. Vous avez fait preuve d'une belle loyauté.

Elle inclina la tête en direction de Mel, qui rougit jusqu'à la racine des cheveux et jeta un regard désespéré vers Will. Se sentant trahi, le garçon détourna le sien.

— Mais… reprit la comtesse avec emphase, j'insiste pour que le silence soit absolu. Si je vous entends produire le moindre son, je peux vous assurer que vous le regretterez.

La vieille dame étouffa un éternuement dans la manche de son manteau; Mel passa en un clin d'œil du rouge vif au blanc. Même le policier sembla se ratatiner, tel un gamin pris la main dans le pot à bonbons.

Avec un sourire crispé, la comtesse Prima Donna observa :

— Bien mieux.

Puis elle prit place au bout de la table.

— La poudre, s'il vous plaît, dit l'alchimiste.

Il avait les mains qui tremblaient légèrement. L'heure était venue ! Il allait enfin prouver de quoi il était capable.

À grand renfort de simagrées, la comtesse Prima Donna sortit le coffret en bois qu'elle avait ravi à Lily et le plaça délicatement sur la table, devant l'alchimiste.

Un petit cri de surprise échappa à la fillette.

— Ce n'est pas de la magie ! Vous avez tout mélangé. Il s'agit de mon père ! On a apporté ses cendres ici pour les enterrer à côté du saule pleureur.

— Ton père ? s'étonna la comtesse, les sourcils froncés.

Elle croyait toujours que Lily était une domestique, ainsi qu'Augusta l'avait prétendu.

— Ne l'écoutez pas ! intervint cette dernière. Elle ment comme elle respire. Le garçon et elle

ont conspiré pour dérober la poudre magique. Elle joue la comédie dans l'espoir que vous vous montrerez clémente.

— C'est mal me connaître, rétorqua froidement la comtesse. Inutile de feindre l'innocence avec moi, sale petite vermine. Tu sais aussi bien que moi que les coffrets ont été échangés. Tout ce temps, tu avais avec toi la poudre magique la plus puissante du monde.

— De l'univers, même ! ajouta l'alchimiste.

Will ne put s'empêcher d'éprouver une forme d'émerveillement : les pièces du puzzle se mettaient enfin en place. Il se rappela les deux boîtes en bois, côte à côte sur la table de M. Morose, il se rappela combien il avait l'esprit embrumé quand il les avait confondues. En un éclair, il comprit son erreur : il avait remis les cendres du père de Lily à la comtesse Prima Donna, et la fillette était donc en possession de la poudre magique depuis le début.

— C'était une erreur ! s'exclama Will.

— Une trahison, oui ! siffla l'alchimiste.

— Je ne comprends pas, murmura Lily, sin-

cèrement désarçonnée. Où sont les cendres de mon père ?

— Je m'en suis chargée, lui répondit Augusta à l'oreille. Ne torture pas tes petites méninges avec ça.

Se décomposant, Lily demanda :

— Qu'en avez-vous fait ?

Le sourire carnassier d'Augusta évoquait celui d'un piranha : tout en dents et dépourvu d'émotion.

— J'ai emmuré la boîte au rez-de-chaussée. Il pourra ainsi tenir compagnie aux bestioles visqueuses, rampantes et répugnantes, qui pullulent dans ces endroits. Il ne verra plus jamais la lumière du jour.

Les mots eurent du mal à franchir les lèvres de Lily :

— Vous êtes monstrueuse…

Elle eut soudain l'impression que le sol tanguait sous les pieds de sa chaise. Et si elle était en train de mourir ? Et si ça n'avait aucune importance ?

— Assez bavassé ! aboya la comtesse avant de

désigner un siège sur sa gauche. Si vous voulez bien nous faire l'honneur, Augusta…

— Avec plaisir, roucoula celle-ci, en essayant de faire tenir sa carcasse massive sur la chaise étroite, qui vacilla sous son poids.

— Et maintenant… reprit la comtesse qui fixait la boîte avec la gloutonnerie d'un chat contemplant une souris blessée. Place à la magie !

Un silence assourdissant tomba sur la pièce.

La vieille dame cessa de renifler.

Will et Lily retinrent leur souffle.

Et l'alchimiste ouvrit la boîte.

ONZE

Une chose amusante se produisit lorsque l'alchimiste découvrit, à la place de la poudre magique à l'origine de tous ses ennuis – cette poudre magique faite d'après-midi d'été, d'éclats de rire, de flocons de neige et de soleil! –, un monticule blanc qui ressemblait étrangement à de la fécule de pomme de terre. Il eut soudain l'impression que ses propres entrailles avaient été changées en farine et menaçaient de tomber en poussière. L'espace d'une seconde, il eut peur de se désintégrer devant tout le monde. Puis, sentant la brûlure du regard de la comtesse sur lui, il regretta presque que ce ne soit pas le cas.

— Eh bien ? s'impatienta-t-elle. Comment est-elle ?

— Ah... parfaite. Oui, absolument. Très magique... bredouilla-t-il, en se décalant légèrement sur le côté pour cacher le contenu du coffret à la comtesse.

Les rouages de son cerveau tournaient à toute allure. S'il admettait que la poudre magique n'était toujours pas en sa possession, il en payerait lourdement les conséquences. Elle avait déjà menacé à plusieurs reprises de l'enfermer dans le cachot le plus sombre et le plus humide de sa prison, en compagnie des rats, au cas où il échouerait à retrouver la poudre magique qu'il lui avait promise.

— Alors qu'attendez-vous pour nous faire une démonstration ?

— Patience, chère comtesse, répondit-il avant de lécher les gouttes de sueur qui perlaient sur sa lèvre supérieure. La magie est un art très minutieux, on ne peut pas la bousculer.

La comtesse se cala sur sa chaise en grommelant. L'alchimiste s'épongea le front avec sa manche.

Il devait gagner du temps.

À l'autre bout de la pièce, Lily se disait exactement la même chose. À force d'agiter les chevilles d'avant en arrière, elle avait réussi à desserrer un peu la corde. Elle ne pouvait pas aller aussi vite qu'elle le souhaitait : Augusta se retournait régulièrement pour lui jeter un regard noir, sans parler de la vieille dame, qui la surveillait également. Si seulement Po avait la bonne idée de revenir ! Il pourrait se rendre visible comme il l'avait fait pour l'aider à s'échapper du grenier.

L'alchimiste se mit à réciter tout bas un charme. Au moins, maintenant, il était le centre de l'attention. Si elle réussissait à basculer vers Will, peut-être serait-il en mesure de l'aider à se libérer…

Une petite flamme bleue jaillit soudain dans les airs, juste au-dessus de la paume ouverte de l'alchimiste. Il continua à marmonner et elle crût jusqu'à former une boule de feu de la taille d'un melon.

La comtesse se souleva de son siège ; l'assemblée étouffa un cri. Même Lily s'immobilisa,

captivée par le spectacle. C'était bien vrai : l'alchimiste faisait de la magie.

— Et maintenant... reprit la comtesse, dont les deux yeux reflétaient la petite boule orange, ... convoquez les morts.

Le moment tant redouté était arrivé. L'alchimiste avait espéré distraire sa cliente avec un simple charme. Il ne se déplaçait jamais sans sa potion d'étincelles.

Maintenant, il ne pouvait plus se dérober ; il allait devoir dire la vérité.

La boule de feu se mit à flamboyer lorsqu'il bredouilla :

— La poudre…

« La poudre n'est pas magique », comptait-il dire. Il ne termina pas sa phrase pourtant. La pièce fut comme parcourue d'un frisson, et une énorme bouche noire s'ouvrit dans le vide, révélant un long tunnel.

Lily reconnut aussitôt ces ténèbres : un passage vers l'Autre Côté.

La comtesse se releva complètement et, dans sa précipitation, elle renversa sa chaise, qui heurta le sol avec fracas.

L'alchimiste retint un cri.

La vieille dame éternua.

Toujours invisible, Po déployait des efforts démesurés pour maintenir le passage ouvert.

Soudain, les fantômes émergèrent du tunnel en hurlant, avec l'énergie tourbillonnante de mille vents, et la pièce fut plongée dans le chaos.

DOUZE

Po avait compris bien avant que Will le suggère qu'il fallait créer une diversion. Voilà pourquoi, à la première occasion, il s'était faufilé de l'Autre Côté.

— *Un plan, Balluchon*, avait-il expliqué à son compagnon. *Il nous faut un plan.*

Miouaf!

Ils avaient atterri au sein d'un ensemble de gratte-ciel en pierre noire déchiquetée. Des âmes glissaient tout autour d'eux, formant une brume sombre. Po aperçut une file de nouveaux venus approchant au loin ; par dizaines, l'air déboussolé, ils s'interrogeaient à voix haute :

— Où sommes-nous ?

— Je ne comprends pas ! J'étais juste descendu chez l'épicier acheter du beurre.

— Tante Carol répétait toujours que les grandes villes étaient dangereuses…

Des âmes égarées. En les observant plus attentivement, Po fut envahi d'une sensation de vide infini. Il savait comment Lily l'aurait appelée : tristesse. Les voix se rapprochaient.

— Je n'ai jamais vu un endroit pareil. Ça pourrait être New York, non ? J'ai entendu dire qu'ils avaient de grands immeubles, là-bas.

Ces nouveaux fantômes n'avaient qu'une envie, retourner du Côté des Vivants et remonter le cours du temps pour retrouver la santé et le bonheur, ou même la douleur, la maladie et la pauvreté tant qu'elles allaient de pair avec la vie.

Une idée germa alors dans l'esprit de Po. Il avait ouvert un passage pour que Lily puisse l'accompagner de l'Autre Côté. Il n'aurait qu'à en ouvrir un maintenant pour permettre aux fantômes de retourner du Côté des Vivants.

— Ohé ! cria-t-il dans la vaste étendue obscure. Ohé, vous ! Là !

Les nouveaux fantômes s'arrêtèrent et observèrent Po.

— Qui ça peut bien être, à votre avis ?

— Je n'arrive pas à voir. C'est un garçon ou une fille ?

— Vous aussi, vous avez l'impression que tout est flou, ici ? Mon médecin m'a dit que mes yeux…

Le Côté des Vivants n'était séparé de l'endroit où Po se trouvait que par une très fine membrane d'existence. À travers elle lui parvenait le désespoir profond de Lily. Il entendait également une incantation lointaine et entrevoyait un globe de lumière… Il devait agir vite.

Ignorant combien de règles universelles il s'apprêtait à transgresser, il chassa cette pensée de son esprit.

— Venez, dit-il aux âmes égarées. Le chemin que vous cherchez est par ici.

La rumeur grandit aussitôt : ils répétaient les paroles de Po sans les comprendre.

Pour la seconde fois de sa longue, très longue mort, Po mentit.

— Pour rebrousser chemin, c'est par ici.

À peine avait-il prononcé le dernier mot qu'il écarta la membrane séparant les deux mondes, révélant une ouverture béante.

À l'idée de pouvoir rentrer chez eux, les fantômes s'engouffrèrent dans le passage.

Comme ils étaient nouveaux, les fantômes avaient encore des contours très précis, ce qui les rendait très visibles. Pour autant, ils n'avaient plus rien d'êtres vivants. Certains avaient des trous dans le visage, d'autres étaient privés d'un bras ou d'une jambe, bref, leur réalité physique avait commencé à se dissoudre pour se fondre dans le Grand Tout. Sous le regard tout à la fois émerveillé et horrifié de Will, un vieil homme se désintégra, tel un dessin qu'une goutte d'eau transformerait en taches de couleur indistinctes.

Il aurait été difficile de dire lesquels, des fantômes ou des vivants, furent les plus surpris. Déjà les premiers avaient perdu l'habitude de leur ancien monde, avec son tourbillon de lumière, de couleurs, d'odeurs et de sentiments… Ils furent

encore plus déboussolés qu'ils ne l'avaient été un instant plus tôt. Tels des animaux sauvages réunis de force dans un enclos, ils s'agitèrent en criant.

À force de s'époumoner, la vieille dame fut victime d'une nouvelle crise d'éternuements. Le policier voulut s'échapper par une fenêtre, mais celle-ci était bloquée. Augusta, tombée à la renverse avec sa chaise, pédalait dans le vide tout en décochant des coups de poing aux esprits et en vociférant :

— Pitié ! Prenez pitié de nous !

Seule la comtesse Prima Donna, pétrifiée sur place, les bras plaqués le long du corps, exultait.

— Ça marche ! murmura-t-elle. La poudre marche !

Dans sa stupéfaction, l'alchimiste avait perdu le contrôle de la boule de feu. La foule de fantômes l'avait envoyée valser à l'autre bout de la pièce, où elle explosa. Un mur entier se couvrit soudain de flammes, qui déchirèrent le vieux papier peint jusqu'au plafond et se mirent à lécher les lames du plancher. Alimenté par la panique et les courants d'air, le feu se propagea

rapidement. Les fantômes s'enflammaient puis redevenaient des êtres humains avant de n'être plus que des formes indistinctes.

Lily avait déjà les yeux qui piquaient et un goût de cendre lui tapissait la bouche.

— On doit sortir d'ici ! hurla-t-elle à Will en bondissant avec sa chaise pour la rapprocher de la sienne. On va finir grillés comme des saucisses, sinon !

Will faisait cliqueter ses menottes de frustration tout en agitant les pieds. La chaise vacilla avant de basculer à terre ; suffoquant, il vit les flammes progresser vers lui à toute allure. Déjà son regard se voilait. La pièce était envahie d'une épaisse fumée noire et trouble.

— Will ! s'écria Lily d'une voix qui parut très distante au garçon.

Une seconde voix, plus proche, lui dit soudain :

— Attends une seconde !

Will sentit une pression sur ses jambes.

— Encore un petit coup et ce sera bon, ajouta la voix.

Elle appartenait au garde de la comtesse Prima

Donna ; Will vit qu'il était en train de trancher la corde avec un canif. D'un seul coup, celle-ci céda, et le garçon retrouva l'usage de ses jambes. Les menottes, quant à elles, lui cisaillaient toujours les poignets.

Après l'avoir aidé à se relever, le garde s'agenouilla auprès de Lily, qui avait perdu connaissance, pour libérer ses chevilles. La pièce entière était à présent dévorée par les flammes.

Will ne vit aucune trace de l'alchimiste, de la comtesse Prima Donna, d'Augusta ou du policier… Devenu incontrôlable, l'incendie avait déjà atteint la cave et montait à présent vers le premier étage ainsi que le grenier.

— Pas le temps de rester pour admirer le spectacle, dit Mel en tirant Will par le col de sa chemise. Fait trop chaud à mon goût.

De sa main libre, le garde souleva Lily et la plaqua contre lui. Puis, protégeant les deux enfants et Gauchère, il se projeta en arrière contre une fenêtre de la salle à manger. Dans une pluie de verre brisé, il bascula à l'extérieur, aussitôt rafraîchi par la brise matinale.

TREIZE

Une fois dehors, Lily fut ravivée par l'air frais.

— Po, dit-elle en prenant sa première inspiration.

— C'est bon, répondit-il, je suis là.

Épuisé, il s'exprimait d'une voix faible, mais Lily fut rassurée de l'entendre.

— Et Balluchon ?

Une forme irrégulière se détacha faiblement sur le ciel. Balluchon était fatigué, lui aussi. Il avait raccompagné les fantômes de l'Autre Côté pendant que Po refermait le passage.

— Moi aussi, je vais bien, lança Will, froissé que Lily se soit inquiétée, d'abord, des fantômes.

— Tout le monde est en pleine forme, alors, s'exclama gaiement Mel.

Il ne semblait faire aucun cas de leurs habits noircis par la fumée, de leurs visages couverts de cendre et de leurs poignets menottés.

— Même Gauchère est comme un coq en pâte. Enfin, ce serait sans doute encore plus le cas si elle avait un coq à se mettre sous la dent.

Pendant que Mel riait à sa propre blague, la chatte dans l'écharpe le considéra avec consternation. Le garde se pencha ensuite vers Will, pour lui murmurer avec un air de conspirateur :

— Je voulais juste te donner ce bonnet, pour que tu n'aies pas froid.

— La maison ! s'écria Lily, qui regardait pour la première fois dans cette direction.

Ils étaient assis au bord de la mare, au pied du vieux saule pleureur – Mel s'était dit qu'ils y seraient en sûreté.

— La maison est en train de brûler ! ajouta-t-elle.

L'incendie, encouragé par le vent étrange et inhabituel, qui répandait la poudre magique alen-

tour, avait atteint le sommet du toit en pente.

— On dirait bien, oui, compatit Mel. Du grenier à la cave. Bientôt, il ne restera plus qu'un tas de cendres.

— La cave…

Se rappelant soudain ce qu'avait dit Augusta, Lily se tourna vers Will, le regard brillant.

— Augusta a emmuré les cendres de mon père, elle l'a dit, tu te souviens ? Et les murs sont en train de brûler eux aussi.

Will opina du chef avec solennité.

— Il finira bien au pied du saule pleureur, Lily.

La fillette serra les poings de toutes ses forces.

— Qu'elle brûle, souffla-t-elle. Oui, qu'elle brûle jusqu'au dernier morceau de bois.

La maison fut alors secouée d'un dernier soubresaut avant de s'effondrer dans un fracas retentissant. La comtesse Prima Donna et l'alchimiste, qui se soutenaient mutuellement, se dirigeaient vers la mare, tout comme Augusta, dont les lacets avaient pris feu. Quant à la vieille

dame, elle avait pris le policier pour monture, s'étant hissée sur son dos et lui distribuant des coups de canne pour qu'il avance plus vite.

Tout le bois contenu dans la maison fut transformé en fumée et en cendre. Et celles renfermées dans le coffret furent alors libérées. Entraînées vers le ciel en volutes, elles dévalèrent la pente douce jusqu'à la surface de la mare, couleur d'ardoise, et se posèrent sur le sol mousseux, au pied du saule pleureur, où elles auraient dû se trouver depuis le début.

Lily sentit que les choses étaient en ordre, que son père avait enfin trouvé sa place. Tandis que les derniers débris reconnaissables de son ancienne maison se consumaient, elle fondit en larmes. Mais ce n'étaient pas des larmes de tristesse, au contraire : la joie et le soulagement l'emplissaient.

Après tout ce qu'elle avait traversé, elle avait accompli la mission qu'elle s'était fixée. Elle avait ramené son père chez lui, et il allait reposer en paix.

Po et Will échangèrent un regard d'impuis-

sance. Dire qu'ils s'étaient sentis dépassés par la petite larme qu'elle avait versée dans les montagnes… Cette effusion d'émotions les tétanisait.

Finalement, Mel s'accroupit à côté de la fillette pour la consoler.

— Là, là, dit-il en lui tapotant l'épaule. Tout ira bien.

Ne pouvant expliquer qu'elle pleurait de joie, elle se contenta de hocher la tête.

Augusta se précipita dans la mare peu profonde, les jupes remontées jusqu'aux genoux, pour éteindre ses lacets. Après avoir poussé un cri de satisfaction, elle remonta sur l'herbe, où elle s'affala, sans aucune grâce. Elle avait été si bouleversée par l'apparition des fantômes qu'elle en avait momentanément oublié sa belle-fille. Sortant un mouchoir de sa poche, elle s'essuya le visage en marmonnant :

— Pitié… Pitié…

La vieille dame et le policier avaient également rejoint la mare, et la première avait retrouvé la terre ferme. Maintenant qu'ils avaient mis de la

distance entre l'incendie et eux, maintenant que la maison était réduite à un tas de suie noire et fumante, elle se sentit autorisée à exprimer son indignation.

— Je n'avais jamais vu ça de ma vie ! s'écria-t-elle en agitant sa canne dans les airs. De toute ma vie ! Ça devrait être illégal ! Et je compte bien demander son avis à un juge !

Elle n'eut pas besoin de préciser qu'elle voulait parler de l'usage de la magie, de l'incendie, des fantômes et de toute cette histoire.

La comtesse Prima Donna était, quant à elle, plongée dans ses rêves de pouvoir. Elle se voyait lever une armée de fantômes, grâce à laquelle elle prendrait le pouvoir sur le monde entier.

— J'en veux encore ! croassa-t-elle. Rappelez les esprits !

— I... ici ? bredouilla l'alchimiste.

Nul n'avait été aussi perturbé que lui par l'apparition des fantômes. Était-il possible qu'il ait réellement réussi à maîtriser la plus puissante des magies au monde ? Quelle autre explication à ce qui venait de se passer ? Pourtant, il n'avait rien

fait d'autre que souhaiter que la magie opère. Peut-être était-il encore plus talentueux qu'il ne le soupçonnait. Une idée, plaisante, commençait à prendre forme dans son cerveau.

— Ici et maintenant ! répondit-elle.

Aussi pâle qu'un linge, la comtesse avait deux étoiles à la place des yeux. On l'aurait crue en proie à une fièvre violente.

— Je dois savoir, ajouta-t-elle. Je dois être certaine.

— Vous n'avez pas le droit ! s'emporta la vieille dame. Je vous l'interdis ! C'est une honte !

Un silence gêné tomba sur l'assemblée. Lily et Will avaient beau savoir que les fantômes étaient apparus grâce à Po, ils pressentaient que quelque chose d'important était sur le point de se produire. Ils se penchèrent vers l'alchimiste.

Et il semblait effectivement y avoir de la magie dans l'air. L'alchimiste lui-même avait conscience du pouvoir qui enflait autour de lui.

Bien sûr, il ignorait – comme tous – que la poudre magique était là, tout autour d'eux, invisible, attendant que quelqu'un récite la bonne

formule. Disséminée par le vent, elle glissait sur la terre dure et sèche, recouvrant le monde visible.

Ne sachant pas très bien ce qu'il avait fait pour invoquer les esprits la première fois, l'alchimiste hésitait sur l'attitude à adopter. Il finit par prendre une profonde inspiration et réciter la formule du livre : « De la mort le vivant reviendra, de haut en bas, et l'ancien sa jeunesse retrouvera. »

Sa voix résonna dans le silence. Personne ne voulut rompre la solennité de ce moment, jusqu'à ce que la comtesse Prima Donna grommelle :

— Il ne se passe rien.

L'alchimiste se mit à glousser de nervosité :

— Je ne comprends vraiment pas ce qui…

— Mais si ! l'interrompit Lily. Regardez, il se passe quelque chose.

Et elle avait raison : le voile invisible de poudre magique fut visible l'espace d'une seconde. Comme si un arc-en-ciel recouvrait tout, comme si le monde n'était qu'un empilement de couleurs. Will retint son souffle ; Lily laissa échap-

per un cri ; la vieille dame fit le signe de la croix.

La terre se mit alors à trembler.

— Qu'arrive-t-il ? cria Augusta.

L'alchimiste et la comtesse Prima Donna perdirent l'équilibre ; il bascula sur elle et se retrouva emberlificoté dans son manteau de fourrure.

— Du balai ! tonna-t-elle en se débattant.

— C'est un tremblement de terre ? demanda Lily.

— C'est de la magie, répondit Po d'une voix émerveillée.

Soudain une colonne dorée apparut. Descendant du ciel jusqu'au centre de la mare, ce doigt de lumière semblait les réunir. Ils furent tous éblouis, et la comtesse Prima Donna en fut réduite au silence.

La terre froide et dure parut exploser d'un seul coup. La surface brunie du monde se fissura pour laisser place à une profusion de couleurs inconcevable : herbe verte, fleurs rouges et violettes, brins de muguet, gypsophile blanc couvrant les collines, champs ondulant de jonquilles or, mousse aubergine. Les arbres se couvrirent

de nouvelles feuilles. Le saule pleureur devint une masse de minuscules touches vert pâle, qui, par milliers, murmuraient et soupiraient sous la caresse du vent. De grosses laitues étaient apparues dans les champs, et des concombres se mêlaient à elles tels des joyaux, sans oublier les énormes tomates rouges entortillées dans leurs pieds.

Pour la première fois depuis plus de mille sept cent ving-huit jours, les nuages se dissipèrent, révélant un ciel d'un bleu éclatant et une lumière que tous avaient oubliée.

Le soleil était enfin de retour.

Les yeux plissés, Lily éclata de rire. Baissant la tête pour se cacher, Will cligna des paupières afin de chasser ses larmes ; il se convainquit qu'il s'agissait d'une simple réaction à la clarté subite.

Mel retira son bonnet et le plaqua contre son cœur. Gauchère bondit de l'écharpe pour jouer avec un papillon. Tombée à genoux, la vieille dame se souvint de sa jeunesse et sanglota.

— N'est-ce pas incroyable ? demanda Lily,

hilare. C'est comme dans un rêve ! Mieux que dans un rêve !

L'alchimiste en restait coi : il comprenait enfin le véritable sens de la formule magique. « De la mort le vivant reviendra, de haut en bas, et l'ancien sa jeunesse retrouvera. » La nature, morte, s'était en effet réveillée, et une vie nouvelle jaillissait de partout. Enfin, l'hiver interminable cédait la place au printemps. La vie reprenait ses droits sur les morts. Cette magie était bien la plus puissante au monde.

L'alchimiste décida, à cet instant précis, de prendre sa retraite.

Au même moment, Augusta se mit à hurler :

— Non ! Je t'en prie, non ! N'approche pas !

Elle s'était redressée sur les genoux et avait les deux bras tendus devant elle, comme pour se défendre.

Lily eut l'impression d'avoir la bouche pleine de sable. Son cœur tressauta dans sa poitrine.

La silhouette d'un homme avançait sur la surface de la mare. Et même si cette silhouette était transparente, même si la lumière du soleil

reflétée sur l'eau lui donnait la teinte irisée d'une bulle de savon, Lily la reconnut aussitôt.

— Papa… souffla-t-elle.

Il leva les yeux vers elle et lui dit de sa voix douce et bonne :

— Bonjour, Lily.

Le cœur de la fillette déploya ses ailes pour s'envoler, tel un moineau.

— Démon ! s'écriait Augusta en rampant à la façon d'un crabe géant. Démon ! Créature surnaturelle ! Ne m'approche pas !

Le fantôme de Henry Lantonnelle fondit sur elle. Sa voix se fit soudain grave et menaçante :

— Comment oses-tu utiliser ce mot ? Le seul démon ici, c'est toi !

Augusta devint aussi blanche qu'un linge.

— Non ! implora-t-elle tandis que Henry Lantonnelle continuait à avancer vers elle. S'il te plaît ! Aie pitié de moi !

— Pourquoi ça ? Tu n'en as eu aucune pour moi.

— C'était un accident… rétorqua-t-elle en frémissant. Un accident…

— Menteuse !

— Je ne pensais pas à mal ! Je voulais juste que tu tombes malade… rien qu'un tout petit peu pour me laisser le champ libre !

Sa voix, montée dans les aigus, confinait à l'hystérie.

— Encore des mensonges ! tempêta-t-il. Tu es une menteuse et une meurtrière.

Augusta promena un regard paniqué autour d'elle, à la recherche d'un moyen d'échapper au fantôme. Ses yeux, écarquillés, roulaient dans leurs orbites. Elle ne ressemblait plus à un crabe mais à un rat acculé.

— Vous ! dit-elle en pointant un index accusateur vers l'alchimiste. C'est de votre faute ! Vous m'avez fourni le poison !

— Je... je... je... je n'ai jamais rien fait de tel.

— Oh que si ! « Poison pernicieux : garantie d'enterrement, sinon exigez le remboursement ! » C'est ce que dit l'étiquette !

— Garantie d'enterrement ? s'indigna la vieille dame.

À peu près remise de ses émotions, elle agita sa canne vers le policier.

— Vous avez entendu ? reprit-elle. Une meurtrière ! Elle doit être arrêtée sur-le-champ ! Pour le bien commun !

— Ça alors... dit Mel en se grattant la tête.

— Ma chère madame, commença l'alchi-

miste, qui semblait sur le point de démentir l'accusation d'Augusta.

Il se leva, épousseta son manteau avec indignation et se tint droit comme un I. Puis il tourna les talons et, maintenant son chapeau sur son crâne, il remonta la colline à toute allure.

La vieille dame abattit sa canne sur les tibias du policier.

— Filez donc ! Rattrapez-le ! C'est un criminel, je vous dis. Il fabrique du poison et il traîne avec des fantômes. Il devrait avoir honte !

Elle ponctua sa sortie d'un reniflement retentissant. Obtempérant, le policier se lança aux trousses de l'alchimiste.

Le fantôme de Henry Lantonnelle se retourna vers sa fille.

— C'est beau ici, n'est-ce pas, Lily ? Tu te rappelles nos pique-niques près de la mare ? Tu voulais toujours grimper dans le saule pleureur, mais tu étais trop petite, même pour atteindre la branche la plus basse.

Elle hocha la tête. La boule dans sa gorge l'empêchait de parler.

— Papa…

— Je sais, Lily, ça me procure un bonheur ineffable, à moi aussi.

Des rayons de soleil traversaient sa silhouette translucide.

— Oui, dit-elle. Oui, ineffable.

Le fantôme de Henry Lantonnelle vacilla et, l'espace d'une seconde, disparut presque entièrement. Il avait la tête inclinée, comme pour prêter une oreille attentive à quelque chose.

— Je dois y aller, maintenant, Lily. Sois sage.

— Tu vas me manquer !

Sa voix se brisa sur ces mots.

— Je serai toujours là, lui répondit-il avant de se dissiper entièrement.

Une poignée de pétales dorés tombèrent aux pieds de la fillette.

Pendant un moment, personne ne brisa le silence. Lily baissa la tête pour cacher les larmes qui serpentaient sur ses joues et glissaient jusqu'à la pointe de son nez. Tout le monde prétendit ne rien voir.

Soudain, Will s'exclama :

— Augusta ! Elle s'échappe !

Profitant que le fantôme accaparait l'attention générale, Augusta s'était éloignée de la mare en rampant. Dès que Will donna l'alarme, elle bondit sur ses pieds et s'élança. Elle était étonnamment rapide, en dépit de son gabarit et de ses longues jupes.

Le policier, qui ramenait l'alchimiste au pied de la colline, marmonna :

— Pas un autre !

— Je m'en charge ! intervint Mel, trop heureux d'avoir de quoi s'occuper.

Il avait toujours rêvé de prendre part à une chasse à l'homme, et l'occasion se présentait enfin ! Il s'élança.

Lily s'essuya les yeux sur la manche de sa veste. Une question venait de surgir dans son esprit :

— Où est Po ? Et Balluchon ?

Promenant son regard autour d'elle, elle ne vit rien.

— Par ici, Lily !

Elle tourna la tête et retint un cri. À quel-

ques mètres de là, sur un carré d'herbe baigné de soleil, se trouvaient Po et Balluchon. Mais au lieu de masses informes constituées d'ombres, ils paraissaient soudain être devenus solides et avoir été recouverts d'une pellicule d'or. Non, ils étaient en or massif. Puis, la forme dorée qui ressemblait à Po fut remplacée par des bras bronzés, des boucles blondes et un sourire franc. Quant à Balluchon, il se transforma en une petite boule de fourrure jaune bondissante. Un chien.

— Je suis un garçon ! dit Po avant d'écarter les doigts et de les agiter. Peter ! Je m'appelle Peter !

Ouaf! Ouaf! fit Balluchon.

— Merci, Lily, ajouta Peter dans un éclat de rire.

— De quoi ?

Elle adressa sa question au vide. Le garçon et le chien s'étaient évanouis dans les airs.

— Où sont-ils passés ? lança-t-elle à la cantonade. Qu'est-il arrivé ?

— Je crois… je crois qu'ils sont enfin là où ils devaient être, répondit Will.

— Dans l'Au-Delà.

Durant quelques instants, Lily en eut le souffle coupé. Le chagrin lui nouait la gorge, tant le monde lui paraissait vide.

— C'est dans l'ordre des choses, tu sais, lui chuchota Will, qui semblait lire dans ses pensées. Ils sont mieux là-bas.

— Je sais.

Et elle en était convaincue au fond d'elle-même.

— Simplement… reprit-elle.

— Oui ?

— Je ne sais pas où aller. Je ne connais pas la suite de mon histoire.

— Ne t'inquiète pas. On la cherchera ensemble.

Lily réussit à lui sourire. Elle aimait ce mot : *ensemble*. Il était aussi réconfortant qu'un câlin.

— Attrapée ! s'écria Mel.

Il tenait fermement Augusta, qui se démenait pour lui échapper, semblable à présent à un poisson au bout d'un hameçon.

La vieille dame ajusta son chapeau et lissa son manteau en velours.

— Bien, dit-elle en reniflant, je crois que nous avons eu notre content de fantômes, de criminels, d'incendies et autres balivernes du même genre. Menottez-les et emmenez-les.

— Je ne peux pas, répondit le policier d'un air penaud.

Il ne connaissait pas la dame à la canne depuis longtemps, mais la perspective de la contrarier le terrifiait.

Lui jetant un regard de défi, elle rétorqua :

— Et pourquoi cela ?

Il courba l'échine.

— Je n'ai que deux paires de menottes.

Lily et Will se regardèrent avec espoir avant d'afficher leur plus belle mine innocente. La vieille dame les examina sévèrement avant de conclure :

— Je vois. Et c'est fort regrettable. Eh bien, dans ce cas, nous devons, je suppose, relâcher les enfants. Nous ne pouvons pas laisser des fabricants de poison et des meurtrières courir dans la nature, si ? Cela défie le sens commun.

Sans lâcher le misérable alchimiste, le policier tira une clé de sa poche et s'accroupit pour libérer Will et Lily. Ils se relevèrent aussitôt en frictionnant leurs poignets endoloris. Puis Lily jeta ses bras autour du cou de Will, qui lui donna une tape maladroite dans le dos tout en devenant aussi rouge que les tomates dans les champs.

Après avoir menotté l'alchimiste et Augusta, le policier les escorta tous deux au sommet de la colline. Pendant de longues minutes, Lily entendit sa belle-mère clamer son innocence et l'alchimiste se plaindre des conspirations ainsi que des apprentis bons à rien. Le vent, les battements d'ailes des papillons et les chants des oiseaux finirent par masquer leurs voix.

— Eh bien, ronchonna la comtesse en se renfrognant, je ne sais pas, vous, mais moi, je ne compte pas rester plantée là toute la journée. Je suis la comtesse Prima Donna, la femme la plus puissante de la ville, et j'ai des affaires qui m'attendent.

— La comtesse Prima Donna ? s'exclama une voix dans son dos. C'est comme ça que tu te fais appeler de nos jours ? Ça me paraît bien ronflant pour la fille d'un pêcheur.

Un homme à la chevelure de jais se dirigeait vers eux. Will et Lily reconnurent immédiatement le client qui mangeait de la soupe dans l'auberge de Mme Morteau. Il ne quittait pas des yeux la comtesse, et un immense sourire diabolique étirait ses lèvres.

La comtesse se décomposa et se mit à trembler. Subitement, une odeur de chou lui emplit les narines. Elle l'étouffait. Les pièces exiguës de son enfance surgirent tout autour d'elle, accompagnées du spectre de la pauvreté.

— Non ! hurla-t-elle. C'est… c'est impossible. Je te croyais mort !

— Tu veux dire que c'est ce que tu souhaitais.

— Que fais-tu ici ? On aurait cru qu'un crapaud s'était logé dans sa gorge, quand elle ajouta :

— Comment m'as-tu trouvée ? Que veux-tu ?

Sans se départir de son sourire, L'Aimant écarta les bras.

— J'ai pensé que l'heure était venue d'une petite réunion familiale avec ma grande sœur.

— Grande sœur ! répéta Mel en se grattant la tête.

— Grande sœur ! ironisa la vieille dame, qui détaillait l'homme loqueteux de haut en bas.

— Grande sœur ! s'exclamèrent en chœur Will et Lily.

L'Aimant avisa sans tarder le manteau de fourrure de la comtesse, ainsi que les diamants qui brillaient à ses oreilles et les grosses bagues à ses doigts. Il avait déjà oublié la fillette et son coffret en bois. C'était son jour de chance ! Il cherchait les bijoux d'une gamine et il tombait sur un pactole bien plus intéressant !

— Je vois que tu as bien réussi, Gretchen.

— Ne m'appelle pas comme ça !

Will se racla la gorge. Il n'avait jamais pensé que la comtesse pouvait avoir un prénom, et Gretchen était tellement… ridicule.

— Ne me dis pas que tu as oublié ton prénom, reprit L'Aimant avant de chantonner : « La grosse Gretchen, sale et vilaine ! »

— Tais-toi !

— « Gretchen, la dondon du canton ! »

— Je t'ai dit de te taire !

— Excusez-moi, monsieur, intervint Mel.

Il n'appréciait pas plus que d'habitude la comtesse, mais restant en théorie son employé, il se sentait le devoir d'intervenir en sa faveur.

— Vous avez dû vous emmêler les pinceaux à un moment donné. La comtesse Prima Donna est une personne de grande importance. Et de sang royal, qui plus est. Une princesse de Suède. Non, non. De Norvège. Non… D'Italie, si ma mémoire est bonne…

Plus embrouillé que jamais, Mel laissa la fin de sa phrase en suspens.

— Une princesse ? ricana L'Aimant. C'est l'histoire qu'elle vous a servie ? Princesse des ports, peut-être. Une fille de pêcheur, ni plus ni moins. Qui retirait les arêtes des sardines.

— Alors ça ! pesta la vieille dame. Si j'ai jamais entendu une chose pareille ! Une fille de pêcheur ! Voilà qui n'est pas ordinaire. Pas ordinaire du tout !

La comtesse était dans une rage telle qu'elle en avait perdu l'usage de sa langue.

— Tais-toi ! finit-elle par hurler. Tais-toi ou…

— Ou quoi ? l'interrompit-il avant de venir se placer juste sous le nez de sa sœur. Je n'ai plus peur de toi. Si tu veux que je garde le secret de ton passé, tu vas devoir mettre la main à la poche.

La comtesse Prima Donna attrapa soudain L'Aimant par l'oreille gauche. Il poussa un cri perçant.

— Écoute-moi bien, espèce de vermine ! Si tu crois que je vais te laisser me brutaliser ou me faire du chantage…

— Lâche-moi !

L'Aimant réussit à se dégager, mais elle lui agrippa le coude droit.

— Arrête ! s'époumona-t-il. Arrête ! Tu me fais mal !

— Quoi ? Qu'est-ce que tu dis ? Tu veux que je continue à te faire mal ?

— Non ! Arrête ! Non !

L'Aimant reculait, repoussant sa sœur, qui continuait à essayer de lui attraper les oreilles, les joues et les coudes.

— On joue aux contraires ! « Non » veut dire « oui » !

— Alors, oui ! Oui ! S'il te plaît, continue à me pincer !

— Ah ? C'est ce que tu veux ? Que je continue à te pincer ?

Échangeant des coups, le frère et la sœur s'étaient éloignés de la mare et commençaient à remonter la colline. À distance, ils ressemblaient à deux immenses sauterelles se livrant à une danse étrange. Lorsqu'ils atteignirent le sommet, L'Aimant empoigna le chignon de la comtesse et tira dessus de toutes ses forces. Avec

un cri guerrier, elle se jeta sur lui au moment où il franchissait le muret.

Puis ils disparurent. Pas besoin de beaucoup extrapoler pour imaginer qu'ils ont passé le restant de leurs vies à rivaliser de tyrannie, à se chamailler, à se jouer des vilains tours et à s'insulter. En bref, qu'ils se sont, l'un l'autre, rendus aussi malheureux qu'ils le méritaient.

Mel, Will, Lily et la vieille dame conservèrent le silence le temps de se remettre du spectacle auquel ils venaient d'assister. Cette dernière finit par s'exclamer :

— Ma foi ! C'est terminé, maintenant, je suppose.

Après un hochement de tête vif, elle gravit la colline en s'aidant de sa canne.

Il ne restait plus que Mel, Will et Lily.

— Bon… commença la fillette, de nouveau intimidée.

— Bon… répéta Will, qui passait d'un pied sur l'autre, mal à l'aise.

— Bon ! s'écria gaiement Mel en posant les yeux sur les deux enfants. Ça s'est réchauffé,

non ? ajouta-t-il tout en retirant son bonnet.

Will et Lily opinèrent du chef. Ils n'osaient pas parler.

— Il fait trop beau pour un chocolat chaud, sans doute, reprit le garde d'un air songeur.

Une nouvelle idée venait de germer dans son esprit. Ces petits avaient bien besoin qu'on s'occupe d'eux. Oui. Deux enfants perdus, qui avaient presque le même âge que Bella lors de sa disparition. Un bon repas chaud, des vêtements propres, un lit où dormir. Tout haut, il proposa :

— Mais peut-être du lait chocolaté. Oui, je pense que le lait chocolaté est tout indiqué, pas vous ?

Will et Lily échangèrent un regard en souriant. Ils agitèrent la tête avec énergie.

— Bien, très bien.

Avec ces simples mots, le cœur déjà énorme de Mel s'agrandit encore, assez pour y inclure les deux petits et les protéger à tout jamais. (Et c'est la morale la plus importante de cette histoire : ceux d'entre vous qui ne croient pas que les cœurs peuvent, subitement, s'ouvrir et éclore,

que l'amour peut pousser comme une fleur même dans les endroits les plus secs, devront, je le crains, affronter une route longue, aride et déserte, ils auront du mal à trouver la lumière. Mais ceux qui y croient connaissent déjà tout de cette magie.)

— Dans ce cas, suivez-moi, dit Mel avant d'appeler Gauchère, qui jeta un dernier regard de dépit au papillon très malin qu'elle n'avait pas réussi à attraper.

Le garde l'installa dans son écharpe.

Will et Lily cheminèrent côte à côte, si près que leurs doigts s'effleuraient presque. Mel posa une main rassurante sur l'épaule de Will.

— Pourquoi vous l'appelez Gauchère? lui demanda le garçon pendant qu'ils remontaient la colline.

— C'est une bonne question. Je vais te raconter une anecdote amusante. J'ai toujours eu la fâcheuse tendance de me mêler des affaires des autres, tu sais. Mme Elland... C'est ma logeuse, tu feras bientôt sa connaissance. Mme Elland, donc, me répète sans arrêt de me mêler de mes oignons...

Et Mel continua son histoire, pendant que Will et Lily l'écoutaient attentivement, que Gauchère ronronnait et que le soleil brillait.

Ils dépassèrent l'endroit où s'était dressée la maison de Lily. Sur les cendres, la fillette le savait, pousseraient des fleurs.

Dans sa tête, elle épela le mot *ineffable*, une dernière fois.

FIN

NOTE DE L'AUTEUR

J'ai écrit *Lily et Po* sur une période concentrée de deux mois. C'était un texte très différent de tous ceux que j'avais composés auparavant ; j'ignorais quelle forme il prendrait, ni même s'il en aurait une. Je ne pensais en aucun cas qu'il serait publiable.

Je n'avais qu'une certitude : je devais l'écrire. À l'époque, j'avais dû faire face à la mort soudaine de mon meilleur ami. J'ai éprouvé les conséquences de cette perte des mois durant, mon monde est devenu gris et boueux, exactement comme celui dans lequel Lily vit au début de l'histoire. Le point de départ du livre m'est venu d'un rêve que j'ai nourri pendant cette période : récupérer les

cendres de mon ami, scellées dans un mur, pour les répandre sur l'eau, le seul endroit où il se soit jamais senti en paix.

Ce rêve a donc pris la forme d'une petite fille qui entreprend un long voyage, pas seulement pour rapporter les cendres d'un être cher dans un lieu paisible, mais aussi pour rendre de la couleur et de la vie à un monde devenu gris et morne.

Ce n'est qu'avec le recul que je l'ai compris : j'écrivais ma propre histoire, le périple de Lily était le mien. *Lily et Po* est mon livre le plus personnel et, bien qu'il prenne place à une époque indéterminée, en un lieu imaginaire, bien qu'on y croise des alchimistes, des fantômes et de la magie, c'est une confession.

De plus, *Lily et Po* incarne tout ce que l'écriture représente pour moi, dans sa forme la plus simple et la plus pure : certainement pas un chèque, pas non plus une idée ni un moyen de s'évader. En réalité, c'est même l'exact opposé d'une évasion ; l'écriture est un retour, un approfondissement, un moyen de donner du sens à un monde qui semble parfois cruel, terrible et intrigant.

Et, bien sûr, c'est un moyen de faire en sorte que tout se finisse bien, même, ou plutôt surtout *si* la vraie vie en a décidé autrement. Peut-être ce récit offrira-t-il à ses lecteurs une occasion de s'évader. Moi, il me permet de ne pas oublier.

Ce livre a énormément d'importance pour moi. Et j'espère que, pour vous aussi, il en aura au moins un peu.

CE ROMAN T'A PLU ?

DONNE TON AVIS ET
RETROUVE L'AGENDA DES NOUVEAUTÉS
SUR LE SITE

« Pour l'éditeur, le principe est d'utiliser des papiers composés de fibres naturelles, renouvelables, recyclables et fabriquées à partir de bois issus de forêts qui adoptent un système d'aménagement durable. En outre, l'éditeur attend de ses fournisseurs de papier qu'ils s'inscrivent dans une démarche de certification environnementale reconnue. »

Dépôt légal 1ère publication : novembre 2012

Imprimé en Espagne par RODESA

20.3293.6/01– ISBN 978-2-01-203293-4
Dépôt légal : novembre 2012

Loi n° 49-956 du 16 juillet 1949
sur les publications destinées à la jeunesse.